1 MONTH OF
FREE
READING

at
www.ForgottenBooks.com

By purchasing this book you are eligible for one month membership to ForgottenBooks.com, giving you unlimited access to our entire collection of over 1,000,000 titles via our web site and mobile apps.

To claim your free month visit:
www.forgottenbooks.com/free1018530

ISBN 978-0-332-09718-3
PIBN 11018530

This book is a reproduction of an important historical work. Forgotten Books uses
state-of-the-art technology to digitally reconstruct the work, preserving the original format
whilst repairing imperfections present in the aged copy. In rare cases, an imperfection in
the original, such as a blemish or missing page, may be replicated in our edition. We do,
however, repair the vast majority of imperfections successfully; any imperfections that
remain are intentionally left to preserve the state of such historical works.

Der Kampf um Konstantinopel

Eine Erzählung

von

H. Prehn v. Dewitz

Mit 6 Vollbildern und reichem Buchschmuck

von

Ernst Wetzenstein

Mit einer Karte der Dardanellen

Erste Auflage

Gustav Kiepenheuer Verlag / Weimar 1915

Erstes Kapitel.

Mekka! Sternklar wölbt sich das azurblaue Firmament über der heiligen Stadt. In den Straßen und Gängen scheint alles Leben erloschen, nur hin und wieder huscht eine dunkelhäutige Gestalt durch die stillen Gassen — nur hin und wieder fällt der Lichtschein eines Kaffeehauses auf die Straße. Doch Mekka schläft nicht. In den Häusern herrscht emsiges Leben. Es ist der Vorabend des Beiramfestes und überall regen sich noch fleißige Hände, um den morgigen Opfertag in froher Feier zu begehen.

Aus der Hauptstraße el Emsa treten hastigen Schrittes zwei Männer. Sie fliehen offenbar die nächtliche Einsamkeit und streben einem Orte zu, von dem Stimmengewirr wie fernes Murmeln hierher bringt. Der eine, schlank gewachsen, in der feldgrauen Uniform der türkischen Offiziere, das scharf geschnittene, bärtige Antlitz unter dem schmucken, tropenhelmförmigen Turban, überragt seinen Begleiter fast um Haupteslänge. Der andere, in langem, schwarzem Überrock, mit roter Kopfbedeckung, hält sich nur mühsam mit hastendem Schritt an der Seite des Offiziers. Seine schon etwas gebeugte Haltung und die stark hervortretenden Falten des Gesichts verraten den angehenden Fünfziger, wenn auch aus den schwarzen Augen ein noch nie verglommenes jugendliches Feuer zu leuchten scheint. Es sind Rahmi Bey, der jugendliche Artilleriekommandant auf dem Djibel Hindi und sein väterlicher Freund Hadsch Hassan ben Ssadak, ein reicher Teppichhändler drunten vom Goldenen Horn, der jedes Jahr hier herauf zu kommen pflegt, um in der heiligen Stadt seine religiösen Pflichten zu erfüllen.

Schweigend waren die beiden eine Zeitlang nebeneinander hergegangen, als sich Hassan mit lebhafter, doch gedämpfter Stimme an den Offizier wandte: „Und welche Nachrichten sind aus Stambul eingetroffen?" Sie mußten wohl vordem schon dies Thema berührt haben — denn der Offizier schien nicht im geringsten überrascht von der Unklarheit der Frage, als er, seine Stimme ebenfalls zum Flüstertone mindernd, entgegnete: „Gute oder schlechte — wie du willst. Die Russen haben die türkische Flotte im Schwarzen Meere angegriffen — noch weiß man es in Stambul selbst nicht — doch Pera soll bereits durch die fremden Gesandtschaften genaue Kenntnis von den beunruhigenden Vorgängen haben." Hassan war stehengeblieben, seine Arme fuchtelten unruhig in der Luft, als suchten sie nach einem Halt. „Also — doch," murmelte er endlich, „spät — aber wie es kommen mußte — und was sagst du dazu, Rahmi — bedeutet das den Krieg — den Krieg mit Rußland und Albion?" Er hatte bei den letzten Worten gestockt, als ob es ihm schwer würde, es auszusprechen. Jetzt hingen seine Blicke erwartungsvoll an den Lippen seines Begleiters. „Noch nicht!"

erwiderte dieser. „Zwar hat unsere Flotte den Angriff blutig
zurückgeschlagen und zwei feindliche Kampfeinheiten zum Sin=
ken gebracht — doch wird Jildiz zunächst nur Protest erheben
und die russische Regierung um Aufklärung ersuchen. Viel wird
dabei ja nicht zu erreichen sein, denn Rußland, dem die Offnung
der Engen so sehr am Herzen liegt, wird seinen Schritt sicher mit
Vorbedacht getan haben.“ Das kleine Männchen neben dem
Offizier zuckte ängstlich zusammen. „England wird seine Ar=
mada schicken und den Durchgang erzwingen — was vermag
die schwache Flotte des Großherrn gegen die gewaltigen Schiffs=
kolosse des Inselreiches?“ „Bah!“ entgegnete der junge Haupt=
mann, „wir sind gerüstet — oder weißt du nicht, daß wir seit
den scheidenden Tagen des siebenten Mondes alles vorbereitet
haben — wir kennen Englands falsches Spiel, und jene De=
peschen, die von der englischen Botschaft zu den frommen Hütern
der Athos=Klöster hinaufgingen, hat man auch auf der Hohen
Pforte gelesen — und ich wette — man hat Nutzen aus ihnen
gezogen — oder meinst du — man würde den frommen Brüdern
dort oben im Gebirge umsonst ihre Marconispielerei gelassen
haben?“

Hassan wurde der Antwort überhoben. Das Gemurmel,
dem die beiden Männer entgegenschritten, war immer deut=
licher geworden. Nun klang es in unmittelbarer Nähe an ihr
Ohr — und ein Bild eröffnete sich vor ihren Augen, das
jedesmal die Sinne aufs neue gefangen nimmt und die Ideen
des Alltages verscheucht, wie die Windsbraut die trägen Him=
melsschäfchen. Vor ihnen lag die Moschee im Lichterglanze.
Unzählige kleine Ollämpchen warfen ihren magischen Schein auf
die Säulengänge und die schneeigen Kuppeln, auf denen der
goldene Halbmond erblinkte. An dem bronzenen Säulenge=

länder, das die Kaaba in einem Halbrund umringt, hingen
Hunderte von Lämpchen, so daß sie einen lichten Bogen, eine
Art von Heiligenschein um den düstern Hort des Islams woben.
Nur die Kaaba allein lag schwarz, wie trauernd, unnahbar da.
Sie schien die Strahlen jener schwachen Lichtspender gleichsam
in sich aufzusaugen und doch nicht hell zu werden. Es was ein
überwältigender Anblick. Und jetzt näherten sich die beiden dem
Orte, von dem anschwellend und wieder abfallend vieltausend-
faches Gemurmel zum düstern Himmel emporstieg. In Scharen umstanden fromme Pilger das Heiligtum der Kaaba. Im
schwachen Licht der nächtlichen Beleuchtung boten sie einen
seltsamen Anblick. Sie alle trugen den Ihram, jenes Pilger-
gewand, das aus zwei türkischen Handtüchern sich faltend,
schmucklos Schultern und Lenden bedeckt, während der übrige
Teil des Körpers und das glattrasierte Haupt jeder schützenden
Hülle bar bleiben. Man hatte den Anblick eines Gespenster-
zuges, der sich rhythmisch, bald langsam, bald schneller um das
Heiligtum bewegte. Vor dem Hadschar el assuad, dem schwarzen Stein, drängte sich eine gläubige Menge. Mit Hand und
Mund berührten die Frommen den kalten Fels und flehend
drang ihr Gebet zu Allah, dem Weltenlenker. Auch am Semsembrunnen, der, ein Stück von dem innern Ring der Moschee
entfernt, im Lichterglanze erstrahlte, hatten sich die Pilger ein-
gefunden, um aus den Schöpfkrügen der Brunnendiener das
gesegnete Wasser zu trinken oder sich mit ihm übergießen zu
lassen. Denn wer vom Semsembrunnen getrunken, den wird
im Kreislauf der Monde keine Krankheit treffen, und das
Paradies wird ihn aufnehmen am Ende seiner Erdentage.

Die beiden nächtlichen Wanderer hatten sich mit Mühe aus
der sie umflutenden Menge herausgeschält und traten jetzt unter

eine der hohen Arkaden. „Ein erhebendes Bild," begann Haffan,
„ein Bild der Einigkeit aller, die an Allah glauben. Gläubige
aus allen Zungen Afiens bis hinauf an die Pforten des Mitten=
reiches, von Kleinasiens Gestaden, aus der Welt der Berge und
Wüsten Afrikas, sind herbeigeeilt, um ihrem Gotte zu dienen.
Täglich ist die Schar der Pilger gewachsen. — Wie die Ströme,
die in ein gewaltiges Becken ihr Wasser leiten, so haben sich die
Pilgerzüge nach Mekka ergossen. Und es ist nur der geringste
Teil aller Pilger, die heute Nacht hier um die Kaaba versammelt
sind, jene, denen schon längst der Ehrenname eines Hadsch zu=
teil wurde. Gewaltige Massen sind hinaufgezogen nach Arafa,
um das höchste Gut der Gläubigen zu erwerben, und wenn sie
morgen in den ersten Stunden des Festtages zurückkehren wer=
den, wird ein Leben in Mekka sein, wie nie zuvor. Reicher denn
je ist diesmal das syrische Mahmal in die Stadt gekommen.
Der Großherr in Stambul ist den heiligen Stätten sichtlich ge=
wogen." Rahmi Bey hatte schweigend zugehört. „Wir brauchen
den Frieden in Allah," entgegnet er dann, „wir brauchen dies
Zeichen unserer Einigkeit. In Nord und Süd, in Ost und West
lauern Feinde an unsern Grenzen. Seit Jahrhunderten streckt
der Moskowiter seine Hand nach dem Besitze der Kalifenstadt,
und ein russisch Zarigrad am Bosporus ist das Ziel des Pan=
slawismus, dessen Ideen Rußland in jahrzehntelanger Arbeit
den halbkultivierten Gehirnen seiner Gefolgsleute mit unlös=
barem Stempel aufgedrückt hat." Der Offizier hatte erregt ge=
sprochen. Jetzt schob er den Turban in den Nacken, und auf seiner
hohen braunen Stirn wurden ein paar enggezogene Falten sicht=
bar. Man sah, es war ihm ernst mit seinen Worten. Haffan war
den Ausführungen des Offiziers aufmerksam gefolgt. „Der Pan=
slawismus ist ein Traum," entgegnete er. „Raffenträume sind

wie Schäume. Noch nie hat die bloße Rassengemeinschaft in
der Weltgeschichte festgegründete Re'che errichtet. Nur der
Glaube an den gleichen, allmächtigen Gott kann die Völker in
seinem Namen zum Siege führen."

Die Mitternacht war mählich vorüber — schon begannen sich
die Pilger hierhin und dorthin zu zerstreuen. Wohlhabenden
leuchtete auch wohl ihr Metuaf mit langer Stocklaterne durch
die nächtlichen Gassen, sodaß es aussah, als ob Hunderte von
Leuchtkäfern durch die ferne Dunkelheit entschwebten.

Auf den sieben Minaretts des Haram flogen plötzlich ebenso
viele weiße Fähnchen auf. Die Mu'essins traten auf den Rund-
gang hinaus, und mit weit hintragender Stimme sangen sie ihr
nächtliches Gebet. Rahmi und Hassan waren niedergefallen und
in brünstiger Demut bedeckten sie mit den Stirnen das feuchte
Erdreich. "Gib uns den Frieden, o Allah! und verzeihe uns unsere
Sünden!" Und während hoch oben von den Minaretts das Tab-
kir ertönt und der Mu'essinsang zum Lobe Allahs und Mohammeds vom Nachtwinde über die stille Stadt getragen wird —
erheben sich die frommen Pilger, um ihre Quartiere aufzusuchen.

Auch die beiden Wanderer hatten ihr Gebet beendet und
strebten einem der zahlreichen Ausgänge der Moschee zu. „Die
Nacht ist halb vorüber," begann Hassan, „laß uns ein Kaffeehaus
aufsuchen — dann mag jeder das Calat der Morgendämmerung
in seinem Stübchen begehen." Es war ein sonderbarer Vorschlag. Der fromme Pilger verschmäht es, sich in Mekka an
öffentlichen Orten des Genusses zu zeigen — und Hassan war
als Pilger hierhergekommen. Aber er, der als Kaufmann vieler
Herren Länder gesehen und ihre Sitten und Gebräuche kennen
gelernt hatte, der in Stambul wie in Hongkong, in London, wie
in Berlin zu Hause war, hing nicht mit starrem Sinn an den

Gewohnheiten einer längst überlebten und vergangenen Zeit.
Der Offizier war einverstanden. Auf Umwegen, durch die
Kaschlaschia (Straße der Opiumraucher) bogen sie wieder in
die Hauptstraße el Emsa ein. An ihrem östlichen Ende liegt ein
niedriges Gebäude, aus dessen unterem Stockwerk hin und
wieder heller Schein über die Straße huscht. Es ist das Kaffee=
haus Schan=Yu=Wei, des Chinesen, das beliebteste und be=
suchteste der ganzen Stadt. Schon vor der Tür kündet eine
mächtige, mit zwei Reihen großer chinesischer Zeichen bedeckte
Holztafel den Zweck des Gebäudes und den Namen seines Be=
sitzers an. Schan=Yu=Wei ist vor einem Menschenalter als
frommer Pilger aus dem fernen Mittenreiche nach der heiligen
Stadt gekommen. Nicht ohne Schwierigkeiten hat er hier Unter=
kunft gefunden — denn wer hielte wohl einen der bezopften
Chinesensöhne für einen guten Moslem — schließlich aber ist es
ihm doch gelungen, und er hat mit der Verschlagenheit und Be=
harrlichkeit des echten Asiaten sich Haus und Erwerb zu zimmern
gewußt. Nun ist er ein Mekkawi geworden wie die übrigen
alle und genießt die Vorzüge des Lebens in der heiligen Stadt.
Die beiden Männer traten ein. Trotz der vorgerückten Nacht=
stunde war das Café noch lebhaft besucht. Vertreter aller
Völkerstämme aus dem 300=Millionen=Reiche des Islams schienen
hier versammelt. Da sah man den schlanken, leichten Beduinen,
den Sohn der unermeßlichen Wüste, in fliegendem, blauem Ge=
wande neben dem türkischen Beamten in goldverzierter Uniform,
den Krummsäbel am Ledergurt — da schaukelte der Spitzhut
des Persers neben dem niedrigen Tarbusch des Ägypters und
dem Turban des Syrers. Auch ein Diener der Moschee war
zugegen, reichgekleidet, den seidenen Kaftan auf dem Haupte.
Nur die Goldspangen an den Armen und der schleppende, wie=

gende Gang verrieten seine Hinneigung zum weiblichen Ge=
schlecht — seine Entmannung. Ringsherum auf Teppichen
hockten die Gäste — bald den schwarzen Mokka aus eiförmigen
kleinen Porzellanschalen schlürfend, bald mit gurgelndem Laut
an den langen Schläuchen des Nargileh saugend. Ein dicker Ta=
baksqualm erfüllte den Raum. Von der Decke warf eine Anzahl
von Bronzeampeln, wie man sie im neuzeitlichen China zu
finden pflegt, ihre schwachen Lichtkegel auf die am Boden
hockenden Gestalten. Die Wände waren seltsam dekoriert —
zum Teil mit glänzenden Wollteppichen, feinen alten Erzeug=
nissen persischer und türkischer Knüpfereien, mit Kelims und
Dyidjims, zum Teil mit chinesischen Rollbildern, auf denen das
Leben Laotses und die Geschehnisse eines klassischen Romans
eine Rolle zu spielen schienen. Dies alles gab in seiner Buntheit
ein echt orientalisches Milieu.

In einem kleinen Verschlage an der hinteren Wand pflegte
Schan=Yu=Wei, der Wirt zu hocken, um die Aufträge seiner
Gäste entgegenzunehmen. Neben einem dicken, roten Vorhang,
der wohl in die inneren Räumlichkeiten führen mochte, standen
zwei mittelhohe chinesische Postamente aus schwerem, schwarzem
Kirschbaumholz. Bronzene Dreifüße sandten von ihnen einen
feinen, blauen, aromatischen Dunst gegen die Decke — wie
wenn der zarte Duft der lieblichen Rayon d'or in flüchtigem
Hauch davonschwebt. Dadurch gewann die Luft in dem engen
Raume eine ungewöhnliche, einschläfernde Süßigkeit, deren Wir=
kung sich offenkundig auf den träumenden Gesichtern der Gäste
malte. Selten fiel ein halblautes Wort, alle schienen sich ganz
dem Genusse hinzugeben, und Schan=Yu=Wei wurde nicht müde,
die Ingredienzen zu mischen, deren berückender Geist den rau=
chenden Dreifüßen entströmte.

Als der Offizier mit seinem Begleiter eintrat, sprang der Chinese dienfteifrig auf und führte die Neuankömmlinge unter tiefen Verbeugungen nach einem durch dichte Bambusvorhänge bisher verdeckten Raume. Mit einladender Handbewegung schlng er die beiden Flügel des Vorhanges auseinander, so daß die Bambusstäbe gegeneinander klangen. „Willst du eintreten?" wandte sich Rahmi an Hassan, „ich glaube, es plaudert sich hier ungestörter als in dem bunten Gemisch da drinnen. Außerdem habe ich nicht gerne, wenn man allzuhäufig die Uniform des Offiziers hier unten vor Augen hat. Mekka ist nicht Stambul, und die Pilgerstadt liebt den Turban des Geistlichen mehr als das Kriegs= kleid." Statt aller Antwort hatte Hassan sich bereits auf einem der Hocker niedergelassen, die zu vieren um den niedrigen Rauch= tisch mit hübscher Damaszenerplatte herumstanden. Jetzt folgte auch Rahmi seinem Beispiel. Schan=Yu=Wei war unterdessen hinausgeeilt, um gleich darauf mit zwei Porzellanschälchen, aus denen der schwarze Trank lieblich duftete, zurückzukehren. Auch den unvermeidlichen Nargileh rückte er zurecht — dann ver= schwand er mit nochmals tiefer Verbeugung hinter dem Vor= hange.

„Deine beunruhigenden Nachrichten", begann Hassan, „gehen mir noch immer durch den Sinn, und ich fürchte, daß auch mein Gebet zu Allah heute nicht so brünstig ausgefallen ist, wie es sich für einen Hadsch ziemt. Russen, Engländer, und viel= leicht auch noch Griechen im Bunde gegen uns! Noch hat unser Land sich nicht erholt von den furchtbaren Schlägen der letzten Kriege — und schon soll ein neues Verhängnis über uns herein= brechen. Ich glaube wirklich — man geht daran, dem in Europa sprichwörtlich gewordenen „Kranken Mann' vollends den Gar= aus zu machen!" Hassan hatte hastig gesprochen. Seine Er=

regung und der glühend heiß geschlürfte, scharf gewürzte Kaffee
hatten seine Wangen rot gefleckt. „Keine Sorge!" entgegnete
ermutigend der Offizier. „Unser Land hat seit dem vergangenen
Kriege vieles gelernt — und als die letzte Stoßkraft der Bul-
garen vor den Tschataltschalinien erlahmte, da wurde erst recht
eigentlich die moderne Türkei geboren — da erwuchs jener Mili-
tärstaat, wie wir ihn uns dank dem preußischen Vorbilde nach
deutschem Muster und mit deutscher Hilfe geschaffen haben.
Der Schlendrian des alten Regimes ist abgetan und wo ein
Enver Bey als Lehrmeister moderner Kriegsmethoden auftrat,
da wandelte sich das jawasch jawasch (immer langsam) und
tschabuk — vorwärts! trat an seine Stelle. Als zwischen dem
siebenten und achten Mond der große Krieg entbrannte, galt es
auch für uns, bereit zu sein oder unterzugehen. Die Zeiten sind
vorbei, da die Türkei als bloße Wächterin der Dardanellen den
russischen Riesen ins Schwarze Meer zwang, zur Sicherheit
Albions und seiner welschen Getreuen. Heute ist England an
die Seite der Allreußenmonarchie getreten und was der Slawen-
zar und seine unermeßliche Heeresmacht in Jahrhunderten nicht
erkämpfen konnten, das soll ihm jetzt Albions Flotte holen —
die Engen und Stambul. Oder meinst du, die Russen erschöpften
ihre Kraft auf den Schlachtfeldern Ostpreußens und Galiziens
um ein Nichts. Nein, und abermals nein — der Herr des heiligen
Moskowiterreiches ist gewohnt zu fordern. Mit Deutschland
hätte er vielleicht einen annehmbaren Frieden haben können —
soll er weiter kämpfen — so stellt er seine Forderungen an Albion — und ich wette, daß schon Vertrag und Handschlag Stambul dem Russenzaren ausliefert. England wird kämpfen — für
Rußland — ein eigenartiges Geschehnis in der Geschichte
des Inselreiches. Albions Prestige auf dem Meere — nicht

minder als die Fortsetzung des Ringens auf den blutdurch=
tränkten Feldern Polens steht auf dem Spiele! — es wird ein
schwerer Kampf werden. Noch freilich schwankt das Zünglein
an der Wage — noch ist das Schwert nur gelockert, aber nicht
aus der Scheide gefahren. Der Zwischenfall am Bosporus ist
beizulegen. Aber Russen und Engländer im Bunde — es gibt
keine andere Möglichkeit als den Krieg — den Kampf, den wir
um unseren Besitz auf Europas Boden, den wir um unsere
Existenz an der Seite Deutschlands und Österreichs werden aus=
zufechten haben." „Und was wirst du tun, wenn es zum Kriege
kommt?" wandte sich Hassan an Rahmi. „Wirst du hier oben
bleiben und die Kanonen des Djebel Hindi gegen das Rote Meer
kehren? Ich glaube, du wirst wenig Arbeit finden — denn ehe
Albion selbst in die heiligen Stätten die Kriegsfackel schleudert,
läßt es lieber die Hand aus dem Spiel. Noch schläft Indien —
Englands Faust sitzt ihm an der Gurgel — kleine Aufstände
und Verschwörungen führen zu nichts — sie schädigen nur die
große Sache — doch wenn Englands Söldnerscharen den Fuß
auf diesen geweihten Boden setzen wollten — dann wird in
Wahrheit der große, heilige Krieg ausbrechen. Dann wird kein
frommer Moslem, welche Zunge er auch reden mag, die Waffen
unberührt lassen — dann wird die Fahne des Propheten über
300 Millionen Mohammedanern schweben als ein Wahrzeichen
zum Kampf für Allah und seine Propheten." „Du magst recht
haben," entgegnete Rahmi, „auch ich glaube nicht, daß uns hier
Gefahr droht — aber eben deshalb werde auch ich nicht hier
bleiben. Auf Gallipoli gibt es zu tun — dort, wo ich in unserem
schweren Kampfe gegen die Balkanstaaten stand, ist auch heute
mein Platz. Auf der Halbinsel kenne ich Weg und Steg — ich
selbst habe mitgearbeitet an dem Ausbau der Feldverschan=

zungen und ich kann dir sagen, der tollkühne Angreifer wird auf
Gallipoli die Hölle finden. Mit dem Kriegsministerium ist schon
alles im reinen — kommt es zum Kriege, was ich heute nicht
mehr fürchte, sondern sogar hoffe, so warte ich nur noch die An=
kunft meines Nachfolgers ab, der in diesem Augenblicke vielleicht
schon unterwegs ist, um über Stambul nach den Engen zu eilen.
Es wird ein erbitterter Kampf werden, doch mit Allah werden
wir den Sieg erringen."

Hassan hatte sich erhoben. „Laß uns gehen," sagte er, „es ist
spät geworden, und ich möchte ein paar Stunden der Ruhe
pflegen, bevor die Pflichten des Festtages uns ganz in Anspruch
nehmen." Auch Rahmi war aufgestanden, und beide traten in
die milde Nachtluft hinaus. — Über die Kuppeln der Berge
huschte schon der erste fahlhelle Schein, als sie sich trennten.

Von den Minaretts klang der Sang der Mu'essins:

„O ihr Schlafenden! steht auf zum Heil — und erwähnet Allah,
der die Winde lenkt; — schon hat sich das Heer der Nacht
                                                    entfernt —
die Schar des Morgenrots ist nahe gekommen
und leuchtet. — Trinkt und beeilt euch, denn der Morgen ist
                                                    näher gerückt!"

In einem kleinen Zimmerchen nahe der Moschee fiel der
fromme Hadsch Hassan ben Ssadak auf sein Antlitz und flehte
zu Allah um Frieden, Frieden für seine Seele und das Reich des
Kalifen. Rot wie Blut huschten die jungen Strahlen der Morgen=
sonne über die knieende Gestalt und malten wie höhnend zittrige
Kringel auf Boden und Wände.

Über Mekka donnerten die Alarmkanonen den Beginn des Beiramfestes. Um diese Zeit war im Tale Menaa, nahe der heiligen Stadt, eine gläubige Menge versammelt, um das Hammelopfer darzubringen. Wohl zehntausend frommer Moslemin mochten es sein, die hier auf steinigem Felde der Feierlichkeit harrten. Die Mehrzahl von ihnen hatte einen Hammel vor sich und wartete auf das Zeichen zur Opferung. Allen sichtbar stand der Kadi von Mekka, einen reich geschmückten Hammel an der Seite. Nun drang der eherne Festesgruß vom Djijab über die Berge und brach sich in vielfachem Echo. Der Kadi drehte den Kopf seines Opfertieres gegen die heilige Kaaba, sprach ein kurzes Gebet — und mit durchschnittener Kehle sank das Schlachttier zu seinen Füßen. — Alle anderen Pilger waren seinem Beispiele gefolgt, und in wenigen Minuten glich Menaa der blutigen Walstatt eines Schlachtfeldes. — Mit der steigenden Sonne des zweiten Tages tönten die Labikrufe der heimkehrenden Pilger durch das mekkanische Bergland. Sie hatten ihre Wallfahrt beendet und zogen als Hadschach in die heilige Stadt, um in Freude und Wohlsein das Ende des Korban Beiram zu begehen.

Voran schwankt schwer und trutzig das syrische Mahmal. Weithin leuchtet über ihm die grüne Fahne des Propheten. Aus aller Augen schimmert eitel Lust.

Die Pilger hatten den Ihram abgelegt und sich mit dem Ihlal (dem Erlaubten) bekleidet. So zogen sie in Mekka ein. Die Gassen und Straßen der Kalifenstadt schienen zu eng, um die allzugroße Schar der Ankömmlinge zu fassen. Auf den Dächern der schneeigen Häuser stand eine bunte Menge, um dem Schauspiel des Einzuges zuzusehen, und durch die Holzgitterchen der Harems lugte verstohlen manch schwarzes Auge den schwellenden Pilger-

zügen entgegen. Vor der Moschee stauten sich die Massen. Noch
einmal schien ganz Mekka hier versammelt, die einen, um Ab=
schied zu nehmen von der Stätte des Propheten, die andern,
um ihre Freunde zu erwarten, die noch in Menaa zurückgeblie=
ben waren, schließlich solche, die in Mekka zu rasten gedachten
und sich zu neuer Wallfahrt nach der Grabesstadt Medina
rüsteten.

Vor der prächtigen Kanzel, nahe dem Brunnenhause drängt
und schiebt sich das Volk. Dort oben steht ein Mann im schwar=
zen Kaftan. Grell fallen die Strahlen der glühenden Sonne
auf seinen weißen Turban. Oft erhebt er das Haupt und streicht
die schmalen Finger einer bleichen Hand wie sinnend durch den
schwarzen Bart. Dann wieder läßt er seine Augen über die
Pilgerschar gleiten — aber er spricht nicht. Wohl liegt der Koran
vor ihm aufgeschlagen, doch seine Blicke eilen hinweg über das
heilige Buch und scheinen sich in der Unendlichkeit zu verlieren.
Und jetzt beginnt er — aber seine Stimme tönt scharf und hart
wie angeschlagenes Erz und hat so gar nichts von den sanften
Lauten eines Predigers. Noch verweht der Ton — doch jetzt —
jetzt haben die Zunächststehenden die Bedeutung seiner Worte
erfaßt, und dumpf raunend fährt es durch die Menge. Von
hinten her drängt der Pilgerstrom — die Kanzel scheint in dem
bewegten Menschenmeer zu schaukeln, wie ein Schiff auf den
gleitenden Wogen der See. Die Stimme des Geistlichen
schwingt sich empor — deutlich bringt der Ton seiner Worte in
das dichteste Gewirr — drohend erhebt er die Rechte gen Him=
mel. Er spricht von den Feinden des Islam, er spricht von den
Verächtern der Sultansmacht — von den Gegnern, die Moham=
meds Reich auszutilgen sich anschicken — er spricht von dem
letzten Sitz der Kalifen auf Europas alterndem Boden — er

führt seine Hörer im Geiste in die halbmondgekrönten Moscheen
Stambuls und Peras — er zeigt ihnen die Engen und die
Feinde, die vor ihnen lauern. Und er schildert ihnen den mäch=
tigen Fürsten, der versprochen hat, seine Hand zu halten über
300 Millionen Mohammedanern. Und er spricht und spricht.
Längst haben es auch die Entferntesten vernommen — der Krieg
ist hereingebrochen über die Lande des Großherrn, und jenen
Mann, der dort oben steht, hat der Sultan aus Stambul geschickt,
um es den Gläubigen zu verkünden. Und wieder erhebt sich die
Stimme des Predigers: Betet für den Sieg unserer Waffen,
betet für den Sieg der Deutschen und des großen Deutschen
Reiches — betet für den Sieg der Armeen unseres Sultans
und des erhabenen Deutschen Kaisers, des Beschützers aller
Mohammedaner. Betet! — Betet! —

Feierliche Stille lagert ein paar Augenblicke über der weiten
Moschee — doch dann bricht es sich brausend Bahn. Aus
vieltausend Pilgerkehlen steigt zum Himmel der jauchzende
Siegesruf des Islam. Und jetzt geht er durch die ganze Stadt,
läuft durch die breiten Hauptstraßen, kriecht in die Gäßchen und
Löcher — springt hinaus durch die Tore — wälzt sich über die
Landstraßen bis hinauf gen Menaa, wo er die letzten Pilger
erreicht. — — „Allah werfin!" „Möge Allah es geben!" —
spricht der fromme Moslem und neigt sein Haupt zur Erde.

Konstantinopel.

Zweites Kapitel

Auf Rumeli Hiſſar fallen ſchräge die Strahlen der Nach=
mittagsſonne. Das alte Schloß hoch über dem Meeresarm
ſcheint zu träumen. Um die kleinen Holzhäuschen an ſeinen
Mauern ſpielt eine lärmende Kinderſchar. Leiſer Wind ſtreicht
durch die ſchlanken Zypreſſen, ſobaß ihre Wipfel ſich neigen und
hinübergrüßen zu Aſiens Geſtaden, wo ſchmucke weiße Land=
häuſer, in Licht gebadet, das Auge entzücken. Reißend durcheilt
der Bosporus ſein enges Bett, und die Kräuſelköpfe ſeiner
Wellen tauzen hinauf und hinab am Kai des Geſtades. See=
ſchwalben gleiten über das Waſſer, nach Nahrung haſchend.

Dumpf dröhnt der Schlag einer Pauke in das ſchweigende
Land. Stoß auf Stoß erſchüttert das Trommelfell, rhythmiſch, wie
donnernder Zorn, und ſein Ton ſchwingt über das Waſſer gen
Kandili. Die Kriegspauke ſingt — ſingt Schlachtendonner und
Menſchenhaß hinaus über Europas und Anatoliens Gefilde.
Ein uralter Bekdſchi ſtampft den Weg entlang und meiſtert den

Schlegel über dem hüpfenden Fell seiner Trommel. Dumpf, dumpf tönt ihr Gesang. — — —

Eine riesige Hornbrille beschattet des Alten Augen, ein schreiender Turban deckt sein schlohweißes Haar, zottig springt die Greisenbrust aus okrigem Hembe, rot flackert sein Gurt. Krieg! Krieg! Von Ortaköi kommt er herunter, der Alte, und sein Weg führt ihn hinauf bis an die Ufer des Schwarzen Meeres. Überall wird er trommeln und dem Volke verkünden — Krieg! Krieg! Jetzt bleibt er stehen. Er senkt den Schlegel und das zitternde Kalbsfell schweigt, wie der Redner nach aufreizenden Worten. Um den Alten hat sich eine bunte Menge geschart, Weiber und Kinder, Greise und Burschen. Ein schmutziges Papier knittert in den Fingern des Bekdschi. Er beginnt zu lesen. Feierlich, wie singend, die Sätze lang hinziehend, gleich dem Prediger, und doch pausenlos, bis ihm der Atem stockt. Hoch, fast schrill schneidet sein Organ. Es ist der Aufruf zum Heeresdienst für alle, die im rüstigen Alter noch nicht unter der heiligen Fahne des Kalifen stehen. Mit Maultieren, Pferden, Eseln sollen sie kommen, dem bedrängten Vaterlande zu helfen. „Vergesset nicht! vergesset nicht!" endet der Alte die Botschaft. —Der Großherr ruft! — — Wieder dröhnt die Pauke — matt entschwindet ihr Schrei. Der Alte zieht weiter, und wohin ihn seine müden Füße tragen, da verkündet er die Not der Zeit — da sammelt er die Männer zum Heerbann für den heiligen Kampf.

* * *

Und es wälzt sich das Meer der Streiter. Aus Afrika, aus Kleinasiens unermeßlichen Gefilden zieht es heran, aus wildem Bergesland, aus fruchtbaren Tälern — die Söhne des Halbmonds. Die Gefahr, in der das letzte Bollwerk des Türkentums

auf Europas Boden schwebt, hat sie alle, wie nie, geeint. Lang=
sam rollen die Züge der Anatolischen Bahn. Die Haltestellen
stehen gedrängt voll — phantastische Gestalten in bunten Tur=
banen und malerischen Wämsern, mit hängenden Tüchern und
Überwürfen, hocken neben dem Leinensack, der ihre Habseligkeiten
birgt. Das ganze bunte Völkergemisch Kleinasiens ist hier ver=
treten. In echt orientalischer Ruhe, wie apathisch, erwarten sie
alle die Ankunft des Zuges. Auch die Weiber haben sich einge=
funden und stehen schwatzend und gaffend herum. Jetzt läuft
der Militärzug ein. Ein Ruck geht durch die Masse der Männer,
leichtfüßig erheben sie sich und klettern in die Wagen. Dreimal
schlägt die Glocke des Stationsbeamten — die Maschine zieht an.
Ein furchtbares Klagegeheul wird laut. Längs der Gleise stehen
die Weiber und hinter Hunderten von schwarzen Schleiern erhebt
sich der Trauerruf der Zurückbleibenden. Keine Träne — kein
Abschiedsgruß — nur dies furchtbare, nervenerschütternde Klage=
geheul — ein Jammern, wie unterdrücktes Weinen, doch nir=
gends der Anblick eines gramvollen Menschengesichtes. Und weiter
ab, wo noch kein blanker Stahlweg das schöne anatolische Land
durchquert, Karawane auf Karawane. Endlos scheinen die
Reihen der Zailas, die gen Norden rollen. Schwer schwanken
die Planwagen auf holprigem Paß — hier und da ein Reiter
auf ermüdetem Roß. Der Weg ist weit und er erfordert die
Anspannung aller Kräfte — aber es geht vorwärts — vorwärts
gen Stambul, der Kalifenstadt. Über Wasser und Berge hinweg,
unermüdlich strömt die Schar der Krieger, bis von des Bosporus
felsigen Höhen die Perle des Reiches, Konstantinopel, die An=
kommenden grüßt.

In dem prächtigen, nach europäischem Muster gebauten
Bahnhof von Haibar Pascha staut sich die Menge der Einrücken=

ben. Unablässig flutet sie die breiten Sandsteinstufen hinab zum
Kai, um das Dampfboot zu erwarten, das sie über den Bosporus tragen soll. Zum letzten Male öffnen sich die wohlge-
füllten Leinensäcke, um den Rest der Wegzehrung zu nutzen —
man ist am Ziel. Als der Dampfer vom Ufer losmacht, zieht
eine Abteilung Infanterie vorüber, mit klingendem Spiel, die
sonnenverbrannten Gesichter ermunternd auf die Ankömmlinge
gerichtet. Da kommt Leben in die Schar — ein Winken geht
hinüber und herüber — ein paar kleine Fähnchen flattern in
der frischen Brise — sie senden den Mobilen die Scheidegrüße
ihrer Kameraden. — — —

* * -

Auf der Galatabrücke herrscht reges Leben. Hin und her
schiebt sich das Volk. Stambul und seine Vorstädte jenseits des
Goldenen Horns scheinen immer aufs neue ihre Bewohner
auszuspeien, die sich auf der langen Brücke ein Rendezvous geben.
Vom frühen Morgen bis zum sinkenden Abend findet sich hier
ein Völkergemisch, wie wir es auf so engen Raum zusammen-
gedrängt wohl in keiner anderen Stadt der Neuen- oder der
Alten Welt wiedersehen. Dort keucht eine Anzahl türkischer
Lastträger unter schwerer Bürde, an ihnen vorbei reitet ein
junger Grieche in reich gesticktem Gewande, den Dragoman an
der Seite — ein Derwisch mit großem spitzen Hut geht schlür-
fenden Schrittes vorbei. Tief verhüllte Frauengestalten schieben
sich scheu durch die wogende Schar — Juden in langen, gelben
Gewändern ziehen heftig gestikulierend fürbaß — ein Albanese
in der malerischen Tracht seiner Berge, im weißen, weithin
leuchtenden Untergewande, die turbanartige Mütze auf dem
Hinterkopf, die langen Halfterpistolen im Gürtel, schafft sich mit

stolzen Gebärden Platz. Wagen reiht sich an Wagen. Ratternd
und ächzend schieben sich die großen Räder des Lastwagens über
das Pflaster, in leichtem Trab überholt ihn die Mietskutsche, und
allen voran eilt buntbemalt die türkische Equipage mit den Ha-
remsdamen irgendeines Großen. Ein feister Eunuch reitet an
ihrer Seite, und von Zeit zu Zeit bringt mit Fistelstimme heraus-
gestoßen sein „Platz da!" über die Menge.

Am Ende der Brücke, dort, wo sie aus Galata in die Karaköi
einmündet, stehen zwei Männer und schauen scheinbar teil-
nahmlos in die glitzernde Flut. Beide sind nach der Mode des
Westens gekleidet — nur der Fes kennzeichnet sie als Unter-
tanen des Padischah, eine einfache, aber nicht gesuchte Eleganz
fällt in die Augen. Nur ab und zu läßt der ältere von den beiden
seine Augen forschend über die Vorübergehenden gleiten. Dann
bricht ein stechender Blick aus den halbgeöffneten Lidern, um
im nächsten Augenblicke in scheinbarer Gleichgültigkeit sich ab-
zuwenden. „Wie, Sie hier, Onofrio?" wendet sich unterdessen
der andere, eine kleine untersetzte Gestalt, an seinen Begleiter,
„ich wähnte Sie drüben in San Stefano, und nun sehe ich Sie
hier mitten in der Höhle des Löwen, wo man auf Schritt und
Tritt die Ausländer überwacht?" „Bah," entgegnet der andere,
„keine Sorge Enrico — das alte gute Stambul schläft noch
immer, und ich wüßte nicht, wer es aus seinem vielhundertjährigen Schlummer erwecken sollte." „Sie könnten sich irren,"
widersetzt der Kleine, — „von allem, was ich in den letzten Tagen hier gesehen habe an kriegerischen Vorbereitungen, was ich
instinktiv und offen gefühlt habe in der Stimmung des Volkes,
was ich mit Luchsaugen beobachtet habe an dem Geist der Truppen, das alles sieht nicht nach Müdigkeit oder gar nach Schlaf
aus. Die Zeiten Abdul Hamids, glauben Sie mir, sind end-

gültig vorüber." „Vorüber oder nicht", unterbricht der andere,
„auch als Bulgarien zum Kampf zog, war das Hamidenregiment
längst ausgespielt, auch damals donnerten Kruppkanonen den
Anstürmenden entgegen, auch damals standen deutsche Offiziere
hinter der Front! Stambul ist reif zum Fall — es fragt sich nur,
wer das Erbe antritt. Und nun, was mich herführt. Ver-
gangene Nacht tanzten über Lemnos die Leuchtkugeln, das
sicherste Zeichen, daß die englische Flotte naht — die wachsamen
Popen auf dem Athos haben mir schnelle Kunde gegeben.
Jetzt heißt es die Zeit nützen. Die erste Aufregung, die den
Granaten der englischen Panzer folgen wird, muß uns helfen.
In einem Hause nahe der russischen Botschaft sind die Ver-
trauten versammelt. Auch Midhat, der Albanese, wird unter ihnen
sein. Ihm will ich die große Nachricht bringen."

Die beiden Männer sind unterdessen rüstig vorwärts ge-
schritten. Sie haben Galata durchquert und sind in die Große
Pera-Straße eingebogen. Die schöne, abendländische Stadt steht
schon ganz unter den Einwirkungen des Krieges. Die großen
Hotelpaläste gähnen in aufgezwungener Ruhe, die Gesandtschaften und Konsulate sind von ihren Herren verlassen. Die
Landhäuser der reichen Kaufleute liegen totenähnlich in ihren
wohlgepflegten Gärten und Parks. Alles Leben scheint in Pera
erloschen — und dort, wo sonst Lachen und Musik ertönte, üppige
Feste gefeiert wurden und schöne Frauen unter Zypressen lust-
wandelten, herrscht jetzt die Stille des Alltags — eines grauen,
sonnenlosen Alltags. Nur die Läden haben ihr Aussehen nicht
verändert, aber es fehlen die Käufer, die sich nach ihren Kostbarkeiten sehnen und ihre Auslagen bewundern. Auch sie reihen
sich ein in das Bild der Totenstadt.

Von dem hochgelegenen Pera genießt man einen wunder-

vollen Ausblick. Galata und Stambul zu Füßen, schweift das
entzückte Auge über das Goldene Horn hin bis gen Skutari, das,
vom blauen Band des Bosporus umflossen, wie eine Insel aus
den Fluten aufzutauchen scheint. Enrico und sein Begleiter
waren stehengeblieben. „Sehen Sie dort unten, Onofrio, jene
beiden — wie ihre Rauchfahnen über Stambul hinziehen.
Dichter und dichter wird ihr pechschwarzer Qualm. Ich wette,
die haben irgendein neues Werk im Schilde. Zum Teufel, man
scheint unter allen Kesseln zu heizen. Wenn nicht alles trügt,
treffen sie die letzten Vorbereitungen zum Auslaufen. Da —
jetzt steigen die Signalfahnen auf.‟

Durch den Rauch werden die grauen Leiber von zwei schlanken
Kreuzern sichtbar, die sich auf den ruhigen Wogen hin und her-
wiegen. Es sind „Midilli‟, die alte deutsche „Breslau‟ und „Sultan Javus Selim‟, der vormals als „Goeben‟ auf einer deutschen
Werft vom Stapel lief. „Sie haben recht, Enrico,‟ entgegnete
der Angeredete, „die beiden treiben auch mir schon lange die Galle
im Leibe herum. Es wäre ein schöner Batzen Goldes zu ver-
dienen, wenn man sie herauslocken und ihnen unter den Geschützen
Sebastopols, im Pontus ein feuchtes Grab bereiten könnte.‟
„Ist das Ihre ganze Weisheit,‟ widersetzte der andere, „was
meinen Sie, wie viele hier in Stambul im Rubelsolde stehen und
jedes Wagestück vollbrächten, wenn es möglich wäre — aber wie?
Man sieht uns hier arg auf die Finger — und seitdem oben am
Bosporus jenes Griechenhäuschen entdeckt ist, dessen Dach ganz
unscheinbar, wie Fernsprechdrähte, ein paar Antennen zeigte, ist
man auf seiner Hut. Glauben Sie mir, die Herren in Sebastopol
waren anfänglich zu gut über die Bewegungen der türkischen
Flotte unterrichtet. Das hat den Verdacht der deutschen Seeleute
erregt, und seit jener Zeit — ich wette — weiß kein Mäuschen

in den russischen Meeresfesten mehr, wenn die schnelle ‚Goeben‘ und ihr Schwesterschiff aus dem Bosporus in den Pontus schlüpfen. Der Überwachungsdienst ist, sehr zu unserm Nachteil, heute glänzend organisiert. Venizelos selbst und seine ungeschickten Sendlinge, die noch immer meinen, mit Gold die Engen besser bezwingen zu können als mit großkalibrigen Geschossen, haben uns das Stückchen eingebrockt!“

Sie hatten halt gemacht. Vor ihnen dehnte sich der Palast der russischen Gesandtschaft. „Wir sind am Ziel,“ bemerkte Onofrio trocken, „gehen Sie mit?“ „Nein,“ entgegnete der andere, „ich will noch nach Stambul hinab — es gibt jetzt überall zu tun — wenn Sie ein Geschäft für mich haben, so wissen Sie mich ja zu finden.“ Damit wandte er sich, und während Onofrio in ein Seitensträßchen schlüpfte, schlug er den Weg zum großen Galataturm ein. „Ich möchte doch wissen, ob die beiden heute noch vor sinkender Sonne hinausgehen,“ murmelte er und schickte lauernde Blicke hinab auf die glitzernde Flut, wo die beiden schlanken Kreuzer sich noch immer in äußerlicher Ruhe auf den Wellen wiegten.

Drittes Kapitel.

Bleich fährt die Dämmerung über den Bosporus. Mählich taucht die Serailspitze in das junge Licht des Morgens, die Einfahrt des Goldenen Horns wird sichtbar und auf Pera verlöschen die letzten Lichter, die Wächter der Nacht. Feuchtkalt streicht der Morgenwind vom Meer herüber und fegt über die massigen Bergrücken Kleinasiens, hinter denen rot wie das Blut der gefallenen Helden der Sonnenball langsam emporsteigt. Am Kai von Haidar-Pascha stampfen die Maschinen, dröhnen und klirren die Krane. Zwei große Transportdampfer liegen bereit, um Ladung zu nehmen. Hochaufgetürmt stauen sich schwere Ballen. In automatischer Regelmäßigkeit greifen die eisernen Arme nach ihnen, haken sich fest, drehen sich, kreischen, pfeifen, bis die schwere Last an eiserner Kette über dem Schiffsdeck schwebt — dann ein Rattern und Rasseln — hemmend schlägt die Bremse ein — und geborgen liegen die kostbaren Ballen im Kielraum des Dampfers. Oben von langen Masten versiegt

der Schein der letzten Bogenlampen. Jetzt wirft der Dampfer
los, und ein anderer legt sich an seine Stelle. Kauernde Soldaten, die mit stoischer Ruhe hier die ganze Nacht auf ihre Einschiffung gewartet haben, werden munter. Ein Rücken und
Rühren geht durch die Schar, dann steht sie bereit. Fahrzeuge
werden herangeschafft, das Pflaster erzittert unter dem schweren
Rollen von Geschützen. Pferde und Maultiere werden vorge-
trieben. Die Verbindungsbrücken werden herüber geschoben.
Ein dicker, graugelber Menschenstrom flutet hinüber. Kommandorufe ertönen. Hier und da bäumt ein Tier hoch auf.
Klatschend fallen die Hufe der Pferde auf den hölzernen Steg.

Die Einschiffung ist beendet. In langsamer Fahrt verläßt
der „Mahmud Schewket Pascha" den Kai, um sich auf die Außen-
reede zu legen. Mittlerweile hat die Sonne längst die Mittags-
höhe überschritten und neigt sich schon wieder gen Westen. Der
große Truppentransportdampfer dort mitten im Strom bietet
ein Bild vollkommener Ruhe. Auf Deck liegen die Feldgrauen
lang ausgestreckt oder zusammengerollt und schlafen. Nur auf
der Brücke steht ein einsamer Posten und lugt scharf nach
vorne aus.

Von der Marmara her rauscht gespensterhaft der schwarze
Leib eines Torpedoboots über die blaue Flut. Es nähert sich
in rasender Eile dem Transportschiff. Zwei Wimpel gehen hoch.
Auf dem „Mahmud" schrillt die Glocke. Ein Zittern durchläuft
das ganze Schiff wie von verhaltener Kraft. Die Maschinen singen
und brummen, mächtige Rauchschwaden ziehen wie zerrissenes
Gewölk davon. Das Torpedoboot ist nahe herangekommen.
Vom Kai stößt auch der letzte Transportdampfer ab. Zu zweien
legen sie sich hinter den „Mahmud". Hell klirrt der Maschinen-
telegraph — vorwärts. Zischend fährt der Dampf in die Kolben

— ächzend dreht sich das Gestänge — langsam durchschneiden
die Kiele den Bosporus.

Auf dem Deck des „Mahmud" stehen die Anatolier in Parade
— nicht auf Befehl — nein, in spontaner Kundgebung. Stahl=
hart erscheinen die braunen Gesichter — suchend und grüßend
fahren ihre Augen über die Hauptstadt. Lustig flattert die
rote Fahne mit dem weißen Halbmond im Winde. Stumm
nehmen die breitausend, die der „Mahmud" heute hinaus=
trägt, Abschied von den braungrünen Hügeln mit ihren weißen
Minaretts. Sonnendurchtränkt grüßt sie die Landschaft, zit=
ternd schwebt die Luft über dem Wasser. Im Vorschiff stehen
ein paar der braunen Gesellen und schleifen an den Bajo=
netten — einförmig bringt ihr Gesang durch die Stille —
und dazu stampfen die Maschinen des „Mahmud" den Gleich=
takt. Vorwärts — Vorwärts! — — — Die Marmara braust.
Der Abend hat eine steife Brise gebracht. — Unter dem dun=
kelnden Firmament lecken die weißen Schaumköpfe gespenster=
haft an dem Schiffsrumpf hinauf. Schwarzes Gewölk schießt
tief geklüftet am Himmel dahin. Es spiegelt sich in den Wogen
und lange, dunkle Schatten jagen dann wie das wilde Heer
über die gepeitschte Flut. Heulend fegt der wachsende Sturm
über Masten und Tauwerk.

Die Wachen sind verdoppelt. Man ist in der Gefahrzone.
Bis hierher gelang es einmal, zwei feindlichen Unterseebooten
durch die Minensperre zu schlüpfen, ehe sie der Vernichtung
anheimfielen. In das Torpedoboot kommt Leben. Die Ge=
schütze werden bereit gemacht, die Lanzierrohre ausgeschwenkt,
die Scheinwerfer gerichtet. Kurze Kommandos hallen herüber.
In scharfer Fahrt schießt das Boot dicht vor dem Bug des Trans=
portschiffes vorüber. Hoch auf spritzt der Gischt und staubt wie

glitzernder Schaum über das Deck des schwarzen Renners.
Jetzt fährt er in langer Schleife um die in Kiellinie einander
folgenden Dampfer, scharf biegt er hinüber und herüber, hebt
weit nach Bug aus, um sich im nächsten Augenblicke scharf nach
Lee auf die Seite zu legen. Dann wieder durchbricht er wie
neckend die Kiellinie der Schiffe, um wenige Augenblicke später
in jagender Fahrt das Heck des letzten Transporters zu um=
kreisen. Alle Mann sind an Deck — aller Augen sind auf die
dunkelnde See gerichtet. Da — ein verdächtiger Gegenstand
weit leewärts über den Wogenkämmen. Die Lichtglut des
Scheinwerfers spielt hinüber — fährt einen Augenblick suchend
über die Wellen — und jetzt taucht, wie Marmor weiß, eine
einsame Spitze aus der rollenden See. Ein Griff — und
weiterhin huscht der Schein über den dunklen Horizont. Lang=
sam und ruhig zieht der „Mahmud" seine Bahn — die Feldgrauen
liegen in Decken gehüllt auf den feuchten Bohlen und pflegen
der wohlverdienten Ruhe. Der schnelle, schwarze Geselle an
ihrer Seite wacht über ihren Schlaf.

In Maidos klappern die Windmühlen. Sie mahlen das
Getreide für die auf Gallipoli liegenden Truppen. Rastlos
schwingen ihre Flügel im frischen Seewinde. Wagen auf Wagen,
hoch beladen mit Mehlsäcken, fährt knarrend davon. Über dem
niedrigen Strand stehen ein paar schwärzliche Kuppen, und
dazwischen blitzen die Rohrläufe gewaltiger Kruppkanonen.
Ihre Mündungen sind auf die Dardanellen gerichtet. Soll
der Gegner von hier kommen? Weithin über Kleinasiens Ge=
stade hinweg vermag ihr Feuer Tod und Verderben zu bringen.
Wehe dem Schiff, das sich ihnen naht! Die Stadt ist in rastloser
Bewegung. Eine Division Infanterie ist am Morgen angelangt

und erwartet die weiteren Befehle zum Vorgehen. Rings=
herum auf Straßen und Plätzen lagern die Truppen. Ihre
schweren Tornister haben sie abgelegt und hocken in Reihen
nebeneinander. Ein vollkommenes Bild der Ordnung bilden
diese ruhenden Infanteriegruppen. Alles hat seinen bestimmten
Platz. Dort vorne die Maschinengewehre, zwischen ihnen die
Tornister, die Gewehre in Pyramiden und dahinter die graue
Schar der Krieger. Hier steht eine Gruppe von Offizieren in
eifrigem Gespräch — ein Berichterstatter, der auf einem der
schnellen kleinen Schiffe von der asiatischen Seite herüberge=
kommen ist, bringt Neuigkeiten mit — gegenüber sitzt eine
Gruppe junger, stattlicher Leutnants, die vielleicht eben erst die
Schulbänke Pancaldis verlassen haben, lacht und scherzt, als
wenn es zum Tanze ginge. Auf den saftigen Wiesen außerhalb
der Stadt weiden die Maultiere, stehen breitbeinig die Kamele —
und dahinter, wie eine schöne Folie, schimmert die Dardanellen=
straße mit ihren zypressengekrönten Hügeln am jenseitigen
Ufer. — Der Befehl zum Weitermarsch kommt. Die Tragtiere
werden beladen — manch kleine Kiste hängen zu beiden Seiten
von ihrem Rücken. Die Mühe, mit der die Soldaten sie auf=
heben, lassen auf ihr Gewicht schließen — zierliche arabische
Zeichen stehen darauf. Es ist Munition aus einer der neuen
Fabriken, die wie im Handumdrehen aus dem Boden gewachsen
sind. Der Stab setzt sich an die Spitze — die Musik fällt ein, in
kurzen aufreizenden Tönen. Auf der schönen Straße von Maidos
gen Krithia hallen die Schritte der Marschierenden. Niemand
weiß, wo das Ziel liegt — jedem nur ist es eine heilige Pflicht,
das Vaterland zu verteidigen und die Feinde zu schlagen, wo
er sie trifft.

Im Fort Hamidie rattert die Trommel Alarm. Der Feind ist im Anmarsch. Eben hat einer der deutschen Flieger die Nachricht überbracht. Die Kanoniere stürzen an die Geschütze, Munition wird herbeigeschafft und sicher gedeckt. Ein hoher Offizier betritt eilenden Schrittes das Erdwerk. „Wer kommandiert hier?", wendet er sich an den Zunächststehenden. „Hauptmann Rahmi Bey." „Gut! — „Herr Hauptmann!" „Exzellenz!" „Es wird heute heiß hergeben. Von Tenedos werden ein Dutzend der größten Linienschiffe und Panzerkreuzer im Anmarsch auf die Dardanellen gemeldet. Kum Kalessi und Sedil Bahr werden das Feuer nicht kräftig genug erwidern können. Sie müssen die Hauptaktion des Gegners auf sich lenken. Hamidije und Nemaska werden diesmal den Feind aufhalten, koste es was es wolle. Und dann bitte — sparsamen Munitionsverbrauch — Sie verstehen. Lassen Sie Nemaska denselben Befehl übermitteln. Mein Stab liegt hier auf der Höhe — Sie sind mit mir telephonisch verbunden. Ich erwarte einen glorreichen Ausgang!"

Noch einmal durcheilt der junge Hauptmann seine Stellungen, überprüft die blanken Geschütze, in deren weiten Mündern die erste Granate steckt — dann begibt er sich auf seinen Beobachtungsposten. Jetzt wird auch im Feldstecher die nahende Flotte sichtbar. Hoch über Dardanos wiegt sich im zitternden Äther ein Doppeldecker. Durch den Auspuff gibt er Signale. Fünf Rauchstriche ziehen davon — lang—lang—kurz—lang—kurz —. Der Feind ist in die Dardanellen eingedrungen. Rahmi Bey beobachtet gespannt die Manöver des Flugzeuges. Jetzt neigen sich seine Tragflächen nach der linken Seite. „Der Feind gibt links die Breitseite." Kaum, daß man so schnell denken kann, birst die Luft von dem Krachen der Geschütze. Hochauf

steigen die Wassersäulen, weithin springen Erde und Steine.
Zu kurz! Die Salve galt dem Fort Medschidije auf der anderen
Seite. Wieder fahren schlangenlange Blitze an den Seiten der
englischen Schiffe auf — wieder rollt der Donner über das
Wasser und trägt den Gegenhall von den Bergen in buntem
Getöse zurück. Diesmal hat es eingeschlagen. Deutlich sieht
Rahmi, wie sie auf der anderen Seite hin und herlaufen.
Ambulanzen scheinen Verwundete abzutragen. Doch das Fort
selbst ist unbeschädigt geblieben. Jetzt richten sie drüben die
Geschütze, langsam, ganz ruhig wie beim Manöver. Ein Offizier springt in die Batterie und prüft die Visiere. Auch Rahmi
hat sich zu seinen Kanonieren begeben, die vor Ungeduld zittern,
dem Feinde eins auf den Leib zu brennen. „Nur ruhig Kinder,
noch ist er zu weit — wir müssen sparsam sein." Und nun
scherzt und lacht er, wie wenn der grausige Donner fernab
und sie hier im sicheren Fort die strahlende Sonne über
sich sähen.

Der junge Leutnant Nouredbin Efendi ist neben ihn getreten.
Gestern kam er erst herunter von Stambul. Heute soll er die
Feuertaufe empfangen. Sein Gemüt ist bedrückt — das Tosen
der furchtbaren Vernichtungsmaschinen, gegen die der persön-
liche Mut ein Nichts ist wie der Tropfen im Weltenmeere,
droht seine Nerven zu zermalmen. Instinktiv sucht er den älteren Kameraden, um sich an ihm aufzurichten. „Nun, Nouredbin, das ist eine harte Geduldsprobe — doch es wird noch
besser kommen, wenn sie uns erst mal aufs Korn nehmen."
„Herr Hauptmann lassen Sie uns feuern, diese Untätigkeit ist
furchtbar — meine Leute liegen seit einer Viertelstunde bereits
am Abzug — in ihren Händen strafft sich die Leine — sie fiebern
vor Ungeduld und ich darf doch den Befehl, den sie alle ersehnen,

nicht geben." „Nein junger Freund, noch ist es zu früh, gehen Sie an den Fernsprecher und melden Sie dem Stab, ich würde auf neuntausend Meter das Feuer eröffnen."

Die Türme der Franzosen scheinen in lodernde Flammen gehüllt. Heulend pfeift es durch die Luft, am Ufer zittert die Erde — da bersten die ersten Granaten im Fort Hamidie. Mählich schiebt sich die Reihe der Schlachtschiffe in den Mund der Dardanellen. Jetzt haben sie die Höhe von Karantina erreicht. Rahmi Bey steht am Entfernungsmesser — zusehends verringert sich die Entfernung zwischen den feindlichen Schiffen und dem Fort. Seine Leute liegen in sicherer Deckung. Noch haben sich die Granaten des Angreifers wirkungslos in die Erdwälle gebohrt, und die Verluste sind mehr als gering. Fünf Mann verwundet — das kann man ertragen. Die Schiffe der feindlichen Flotte schieben sich inzwischen hin und her, um stets in gleicher Peilung zu schießen.

„Herr Hauptmann — dort Kilid Bahr brennt." Ein Unteroffizier hat sich dicht an Rahmis Deckung herangeschlichen und bringt die Meldung. Der Offizier sieht durch das Glas — wahrhaftig drüben lecken rotzüngelnde Flammen empor. Die Kasernen — nein, ganze Häuserreihen und Dörfer scheinen zu brennen. Wieder zerreißt ein Blitzstrahl die bebende Atmosphäre. Eisenteile und Steine spritzen wie bunter Mosaik in die erste Batterie. „Achtung Deckung!" — brüllt hinten eine dumpfe Stimme. Der Himmel steht in Flammen. Eine Ladung Schrapnells birst über den Köpfen der tapferen Verteidiger. Sie verfängt nicht. Die bombensicheren Unterstände decken Mannschaft und Munition. Jetzt geht es Schlag auf Schlag. Der Feind hat sich eingeschossen. Fauchend fahren die Granaten dicht vor den Werken ins Wasser — meter-

hoch steigt die Wassersäule empor, um im nächsten Augenblicke
klatschend am Strande zusammenzubrechen. Von den Schiffen
aus muß man den Eindruck haben, als ob das Fort vom Erd=
boden hinweggefegt würde.

Noch einmal mißt Rahmi die Entfernung: 9500 Meter. Mit
der Uhr in der Hand zählt er die Minuten. In zehn Minuten
muß die Spitze des Geschwaders in Schußweite sein. Drüben
vom Fort Medschidije kracht die erste Salve. Rahmi hat keine
Zeit, ihre Wirkung zu beobachten. Schrill klingt das Telephon
durch die Batterie. 9000 Meter, Granaten, Batterie 2 fertig —
Feuer! Heulend fauchen die schweren Geschosse durch die Luft,
ohrenbetäubend schlägt der Donner ein. Batterie 1 fertig —
Feuer! Wieder sechs züngelnde Blitze und eine schwere Deto=
nation. Zwei Granaten zerwühlen im selben Augenblicke den
Boden der vordersten Geschützstellung — der Lauf des rechten
Flügelgeschützes gleicht einem aufgeschlitzten unförmigen Rohr —
ein Volltreffer hat ihn vernichtet. Der steinige Boden trinkt
das Blut der Todwunden. In langen, dunklen Schleiern streicht
der Pulverrauch über die Meerstraße. Durch das Prismenglas
beobachtet der Hauptmann die Wirkung des Feuers. Hinter
den vordersten Schiffen bäumt sich die See. Da sitzen die Gra=
naten. „Zu weit, murmelt er ärgerlich." — — —

Die feindliche Flotte hat sich jetzt bis auf wenige Meilen dem
Fort Dardanos genähert. Ihr Feuer auf Hamidije wird
schwächer — deutlich sieht man, wie sie alle verfügbaren Ge=
schütze auf diesen Punkt konzentrieren. Ein Franzose liegt
weit vorn. Es muß der „Bouvet" sein. Sein Name ist auf diese
Entfernung nicht zu erkennen. 8000 Meter, Granaten, schrillt
das Kommando. Der Rauch zerreißt, in langen Garben fährt
das Feuer aus den Schlünden. Der Franzose stößt dichten,

weißen Dampf aus den Schornsteinen. Er ist getroffen. Da,
jetzt legt er sich stark nach Backbord über. Die Werke vor Kilid
Bahr fallen ein, sie haben es offenbar auch auf die Franzosen
abgesehen, von denen nun drei nahe zusammenliegen. Eine
Höllenmusik beginnt. Die Franzosen ziehen sich zurück. An=
scheinend ist noch ein zweiter von ihnen getroffen. Aus Fort
Darbanos kommt die Meldung, daß ein Teil der Geschütze, durch
das Massenfeuer des Feindes versandet, für den Augenblick
seine Arbeit einstellen müsse. Erhöhte Gefechtstätigkeit der
andern Werke sei geboten. Das Stabstelephon schrillt. Die
getroffenen Schiffe sind „Bouvet" und „Gaulois" — auf einem
der vorgeschobenen Werke hat man die Namen mit Sicherheit
ausgemacht. Wieder zerreißt die Luft von den Blitzen der Ge=
schütze. Aus hundert Feuerschlünden brüllt der Donner. Rahmi
lugt scharf nach dem „Bouvet" aus. Der schleppt sich mühsam
vorwärts — sein Kurs geht auf die Kefes=Bucht — vielleicht sucht
er dort Schutz. Doch jetzt, was ist das — eine schwere Wolke
pechschwarzen Rauches entquillt dem siechen Riesen. Der vor=
dere Mast neigt sich zur Seite — er scheint zersplittert. Hell
schlagen die Feuersäulen mittschiffs aus dem müden Käm=
pen. Ein zweiter Treffer muß ihm den Rest gegeben haben.
Schnelle Zerstörer eilen herbei. Boote werden losgemacht und
schaukeln wie Nußschalen auf dem von Granaten gepflügten
Wasser. Unter den Franzosen scheint eine Panik auszubrechen.
Noch platzen die weißen Rauchwölkchen über dem sinkenden
Schiff, noch kracht und birst das Gestänge im grandiosen Kon=
zert aus hundert ehernen Mündern, da legt sich der „Bouvet"
scharf vorn über — man meint, das Schreien der Schiff=
brüchigen zu hören — mit Volldampf stoßen die Zerstörer aus
der Gefahrzone — und wenige Augenblicke später treibt der

„Bouvet" kieloben auf den Wellen. Neben ihm findet einer
der Zerstörer sein feuchtes Grab in den Fluten.

„Irresistible" schiebt sich nach vorne. Ihre schweren Bugge-
schütze hat sie auf Kilib Bahr gerichtet. Mit verminderter Fahrt
sucht sie sich einzuschießen. Es gelingt nicht. Deutlich sieht
Rahmi durch das Teleskop, wie nur zwei Geschütze des vorderen
Turmes das Feuer aufrechterhalten. Dort muß etwas in
Unordnung sein — er eilt an den Entfernungsmesser. Das
Schiff liegt in kaum 8000 Meter Entfernung. Ein genaues
Visieren auf die Wasserlinie des Gegners ist möglich. Der
Offizier läuft selbst in die erste Station, um beim Richten der
großen Brummer zugegen zu sein. Er visiert — sieht noch ein-
mal durch den Stecher — das Schlachtschiff steht im Augen-
blicke fast unbeweglich da und schießt wie bei der Übung seine
Granaten durch den berstenden Äther. „Feuer!" Hoch auf zucken
die Blitze der ersten Batterie. Um die „Irresistible" springt die
See in weißen Fontänen. „Feuer!" Das gleiche Bild. „Zweite
Batterie Feuer!" Pechschwarze Wolkenballen kreisen über
dem angegriffenen Schiff. Jetzt schweigen seine Geschütze.
Bleicher Dampf entquillt in unregelmäßigen Zügen den Schornsteinen. Die „Irresistible" ist getroffen. Ihre Maschinen scheinen
still zu stehen. Langsam treibt sie mit der Strömung ab. —

Leutnant Noureddin bringt die Meldung, daß die Geschütze
von Dardanos wieder klar sind. Soeben ist es von Kilib Bahr
herüber signalisiert worden. Nun gut, dann mag Dardanos ihr
den Rest geben. Für eine kurze Zeit setzt das Feuer des Feindes
aus. Es ist, als ob die Schiffe sich neu gruppierten, um die Angriffe zu wiederholen. Ihre Reihen schieben sich gegen die
Mündung zurück. Das Admiralschiff signalisiert unaufhörlich.
Sie scheinen die Feuerüberlegenheit der Festungsbatterie er-

kannt zu haben und ziehen sich zurück. Doch nein — jetzt blitzt
es wieder auf dem „Agamemnon" — auch „Lord Nelson" und
„Prince George" nehmen den Kampf von neuem auf. Ihre Ab=
sicht ist klar — sie wollen das schon totgeglaubte Dardanos=
Fort endgültig zum Schweigen bringen. Drüben fallen die
Werke Medschidie und Hamidije Rumeli ein. Da platzen auch
die ersten schweren Granaten wieder vor Hamidije. Die „Queen
Elizabeth" schießt sich ein. Mit dem Bug gegen den Mund der
Engen gedreht, liegt ihr schweres Heckfeuer auf dem Fort.
Deutlich kann Rahmi die großen 17=Meter=Geschütze durch das
Glas erkennen. Das sind die berühmten Achtunddreißiger. Fast
freudig begrüßt der junge Artillerist ihr Brummen, kann er
doch diesmal den Wert der Geschütze in der Praxis erproben,
über die in Friedenszeiten nicht genug des Rühmens war.
Für einen Augenblick hat er selbst die eigene, gefahrvolle Lage
vergessen. Blitzschnell macht er seine Berechnungen. Die „Queen
Elizabeth" steht nach dem Entfernungsmesser in 12300 Meter
Abstand von der Festung. Das ist ein sehr günstiger Standort.
Ohne mit ihrem geringen Aufbau dem Feuer der zurückliegenden
größeren Werke allzusehr ausgesetzt zu sein — vermag sie doch
die Geschosse ihrer schweren Artillerie unter so geringem Ele=
vationswinkel und mit derartig hoher Endgeschwindigkeit zu
schleudern, daß ihr fast senkrechtes Auftreffen gesichert und die
höchste Durchschlagskraft ihrer Treffer bestimmt zu sein scheint.
Jetzt nehmen die Dardanos=Werke sie unter Feuer, von Galli=
poli kündet der Donner der vorgeschobenen Baikrahbatterien
ihr Eingreifen in den Kampf. Rahmi liegt regungslos auf seinem
Beobachtungsposten. Wieder zischen die Granaten der Acht=
unddreißiger durch die Luft — wieder zu kurz — am Strande
wirbeln Steine und Sand empor. Ein mächtiger Einschlags=

trichter wird sichtbar. Einige Eisenkoffer fallen ins Fort ohne
Schaden anzurichten.

Der Abend ist mählich heraufgezogen. Wie ein Trunkener tau=
melt „Irresistible" auf den blauen Wogen. Rings um sie platzen die
Granaten, über ihr schwingen die weißen Wolken der Schrapnells.
Längst schweigen ihre Eisenschlünde. Die Mannschaft ist unter
Deck am Rettungswerke, um zu pumpen und zu dichten. Torpedo=
bootszerstörer suchen sie abzuschleppen. Umsonst. Ein neuer Tref=
fer fährt in der Wasserlinie durch den Stahlpanzer. Gurgelnd
strömt die See in das gewaltige Leck. Da hilft kein Dichten — da
helfen keine Schotten — aussichtsloses Unterfangen. Mit Mann
und Maus geht das stolze Schiff zugrunde. Nur wenige Über=
lebende retten sich auf die zur Hilfe herbeieilenden Torpedoboote.
Noch einmal schrillt das Telephon auf Fort Hamidije 8650 Meter
— Granaten — Feuer! Es ist der Abschiedsgruß für den
„Triumph", der sich an der Seite des schwergetroffenen „Ocean"
zurückzieht. Das Admiralschiff signalisiert den Befehl zum Rück=
marsch. Langsam wendet sich die Flottille in Richtung Tenedos.

Über dem Stabsquartier geht weithin sichtbar ein Fahnen=
schweif hoch. Der Oberbefehlshaber dankt den tapferen Ver=
teidigern der Dardanellen. Als die Nacht herniedersinkt, fallen
die Scheinwerfer der Forts auf zwei weite, schwärzlich schim=
mernde Wasserflächen — es sind die Ölspiegel, unter denen die
gefallenen Helden, „Irresistible" und „Bouvet" ihr Wellengrab
gefunden haben. So endet der Tag des 18. März. Für die
Türken ein ruhmreicher Sieg, für die Verbündeten eine schwere
Niederlage, die sie vier ihrer besten Schiffe einbüßen ließ,
während die andern sich, fast alle schwer beschädigt, mit Mühe in
den rettenden Hafen von Tenedos schleppten.

Der große Basar von Stambul bietet heute ein so ganz anderes Bild als in den Zeiten des Friedens. Wo sonst der Händler seine Waren in allen Tonarten preist, der furchtsame Jude seine Anerbietungen dem Vorübergehenden zuflüstert, der schlaue Armenier bescheiden und unterwürfig zur Besichtigung einladet, der Grieche laut und gestikulierend ruft, der schweigende Türke auf schwellenden Kissen vor der Ladentür mit den Augen winkt, da stehen und sitzen heute aufgeregt hin und wider redende Gruppen. Seit Mittag ist es in der Stadt bekannt geworden — an den Dardanellen tobt ein erbitterter Kampf. Engländer und Franzosen haben ihre Großkampfschiffe in die Straße geschickt, um die Durchfahrt zu erzwingen. Diesmal geht es heiß her. In der vergangenen Nacht sollen feindliche Minensucher einen großen Teil der Sperre abgefischt und durchbrochen haben. Von Stunde zu Stunde wächst das Gerücht. Schwerfällig trotten die Kamele durch die engen dunklen Straßen, über die nur ab und zu eine Glaskuppel mäßiges Licht ausgießt — ihre Führer biegen sich weit zur Seite, haschen nach diesem Wort oder jenem, um es wenige Augenblicke später in einer anderen Gasse des Basars als sicherste Neuigkeit wieder in die schiebende und stoßende Menge zu schleudern. Der sonst so überlaute Lärm ist völlig verstummt, nur ein Murmeln wie von unzähligen Stimmen wird hörbar. Man möchte meinen, in einer großen Kirche zu stehen und die Gebete der Gläubigen zu hören, oder dem Volksgemurmel auf der Bühne zu lauschen. Ab und zu fällt ein kräftigeres Wort in die Menge — dann schwirrt es und klingt es wohl für ein paar Augenblicke dumpf auf, wie wenn eine sprunghafte Glocke mit ehernem Klöppel angeschlagen wird, um im nächsten Moment wieder in das allgemeine Gemurmel überzugehen.

Im Basar der Waffen herrscht das bunteste Getriebe. Hier
war von jeher die Stätte, wo die Erzählungen von Kriegslust
und -leid ihre Heimstatt fanden. Dort, wo die Krummsäbel
hangen, die einst den Gurt tapferer Janitscharen schmückten,
dort wo elfenbeingriffige Yatagans mit Amethysten und
Rubinen geschmückt, im gedämpften Tageslicht erglänzen, wo
Musketen und schwere albanische Pistolen neben langen ara-
bischen Flinten liegen, und über all den Waffenschätzen goldene
oder silberne Halbmonde auftauchen — dort sitzen alte, weiß-
bärtige Türken und erzählen von den großen Sultanen und
ihren Kriegszügen. Ein Hauch des heiligen Alters geht durch
diese Räume und Gassen und mischt sich mit der lebendigen
Frischluft, die von draußen hereinbringt, von draußen, wo nun
die Kalifenheere abermals gegen den Feind des Islams im
Felde stehen.

Jetzt bringt verworrenes Stimmengewirr durch das Westtor.
— Ein Sieg — ein Sieg — ein großer Sieg! Gelobt sei Allah —
Allah — räsonieren die Wände der gewaltigen Kaufhalle. Die
Umstehenden horchen gespannt auf. Und nun verkünden es be-
geisterte Stimmen. Die Armada der Verbündeten ist geschlagen
— drei ihrer besten Schiffe ruhen auf dem Meeresgrunde —
ein viertes treibt schwer beschädigt in den Engen. Noch dauert
der Kampf an, doch der Sieg ist unser. Der Sieg — der Sieg —
in allen Zungen bricht das Wort sich Bahn und umfängt die
Scharen gleich einem süßen Rausch, wie der Duft der tausend
Wohlgerüche, den der ferne Parfümeriebasar über seine Umgebung ausgießt.

Schon beginnt der Tag zu schwinden — von der Höhe eines
nahen Minaretts ruft singend die Stimme eines Mu'essins zum
Abendgebet. Der Türke breitet behutsam seinen Teppich aus —

wendet das Antlitz gen Mekka und beugt sich in Demut vor
dem Allgewaltigen. Schnell leert sich der große Basar — die
Gassen veröden — die Läden verstecken ihre Kostbarkeiten. Nur
der klatschende Plattschritt eines Kamels schiebt sich noch über
den holprigen Steinboden — bis auch er verstummt. Stambul feiert den Sieg!

Am folgenden Morgen fährt der Sultan zum Selamik.
Kopf an Kopf steht das Volk und umjubelt seinen Herrscher —
den Siegreichen. Der Nachmittag aber lockt ganz Stambul zu
fröhlichem Fest. Auf dem Goldenen Horn jagen sich die Kaiks,
jene bemalten, geschnitzten, vergoldeten Renner, die in anmutigen
Windungen, schönen glitzernden Libellen gleich, über das Wasser
zu gleiten scheinen. Ihre Zahl wächst und wächst — sie tänzeln
um die schweren Barken, in denen vornehme Türkinnen auf
kostbaren Teppichen ruhen — pfeilschnell schießen sie hierhin
und dorthin, immer aufs neue ihre bunte wechselnde Farbe
widerspiegelnd — ein prächtiges Bild — von fernher winken
die Zypressen der Gräberstadt Ejub. Nun steigt sie empor vor
dem entzückten Auge — blendendbleich, wie die marmornen
Höhen Cararas.

Ein leichter Wind streicht über die Haine des Todes und
läßt schlanke Zypressenhäupter sich neigen. Eine unsagbar
feierliche Stille liegt über der Ruhestätte der Geschiedenen.
Dort schlafen in ihren prächtigen Turbes die Sultane, Vesiere
und Großen des Reiches. Seidene und Brokatteppiche, Ge-
webe so fein wie aus Tausend und einer Nacht ruhen zu
ihren Füßen oder decken den prächtigen Sarkophag. Dort
oben unter weit ausladender Platane erhebt sich das Grab
Abu Ejubs, des Fahnenträgers, der für Mohammeds Reich,
stürmend, unter den Mauern von Byzanz fiel. Zwischen weißen

Säulenstümpfen, durch Tausende schattiger Blätternischen,
grüßt die Stadt des Lebens, grüßt Stambul seine erhabenen
Toten.—Weiter fliegt der Kaik, dem „Süßen Wasser" entgegen.
Leicht springt er ans Ufer. Eine weite, liebliche grüne Ebene,
überdacht von dem Laub knorriger Platanen, schlanker Syko-
moren — im Schatten der Terebinthen, dehnt sich das Tal des
Kiathans Su. Hier feiert die Kalifenstadt ihre Feste. Tausende
sind versammelt. Lullend gleiten die Töne eine nahen Musik
über das Wasser. Doch keine laute Lust wird hörbar. Unter
Lauben und Hütten, auf dem laubüberdachten frischen Rasen,
lagert das Volk in beschaulicher Ruhe und dankt dem Tage und
seinem Schöpfer. Hoch zu Roß oder in eleganten Gefährten
kommt die vornehme Welt Peras herüber. Das schöne Geschlecht ist in der Überzahl. Schneeig flattern die Schleier,
bunt glänzen die Mäntel der eleganten Türkinnen — die Sklavinnen eilen, ihre Herrinnen zu bedienen — mißtrauisch wacht
der Eunuch eines reichen Paschas über die ihm anvertrauten
„Schätze" seines Herrn.

Über dem Boden ein seltener Farbenreichtum. Teppiche
aller Knüpfarbeiten und aller Herkunftsländer liegen hier aus-
gebreitet. Neben dem kostbaren Kirman, dessen dichte, feine
Wolle wie Seide erglänzt, der saftrotfarbene Afghan, dann
im feinsten Ocker strahlend, der türkische Keschan und weiter,
wie eine Brücke zu den andern, der zottiggeschorene Hamedan,
dessen dichter Wolle nackte schlürfende Beduinenfüße das ersehnte Farbenspiel verliehen haben. Hier ein altpersischer
Täbris mit krausen Figuren und Bäumen, dort ein mächtiger Joraghan, ein buntfarbener Smyrna und ein spiegelnder
Buchhara. Und zwischen all der Pracht eilende Diener, die
den frisch gebrühten Mokka reichen, dessen Duft berauschend,

wie der Hauch der lieblichen ägyptischen Zigarette, aus dünn-
wandigen Porzellanschälchen aufsteigt. Verlockende Früchte
auf silbrigen Schalen, Eis, Zuckerwerk und Wohlgerüche. — —
— Überall spielende Kinderscharen, rauchende Türken am Nargileh oder die lange Pfeife aus Rosenholz sinnend zwischen den
Zähnen. Klatschend tanzt die Zigeunerbande den Siegessang.
— — — Fürwahr ein Bild, das des Farbenmeisters wartet.
Der Abend kommt und mit ihm gleiten die schlanken Boote
zurück gen Stambul. Die vornehmen Karossen wenden sich —
leise streicht der Gesang berückender Odalisken über die dunkelnden Fluten. Die süßen Wasser schlummern — einem neuen
Festtage entgegen.

Viertes Kapitel.

Über Lemnos wehen die Fahnen der Verbündeten. In den engen Straßen der Stadt geht reges Leben — Soldaten überall — rotbehoste Franzosen in blauen Röcken, afrikanische Schützen auf ihren flinken kleinen Arabern, Senegalneger in Kakiuniform — derbknochige übergroße Australier, Territorials, britische Reguläre, das Stöckchen durch die Luft balancierend, Artilleristen, Marinesoldaten, Flieger, Sanitäter — alle Farben sind vertreten, vom tiefsten Schwarz des afrikanischen Wüstensohnes bis zum fadesten Blond des wasseräugigen Briten. Dazwischen griechische Bauern, Frauen und Mädchen. Lange Wagen reihen sich, mit Maultieren, Eseln und Pferden bespannt — alle schwer beladen, mit Säcken und Furage. Rotekreuzwagen, Munitionskarren — ratternde Haubitzen. Lemnos gleicht einem Kriegslager. An den Straßenecken und auf freiem Felde kleine schlichte Läden, schnell zusammengezimmert aus Holz oder Leinwand. Davor laut lär=

menbe Griechen, die ihre Waren anbieten. — Obſt, Marmelade,
Konſerven, Bier, auch Whisky, Branntwein, Poſtkarten, Süßig=
keiten. Schwül ſteht die feuchte Seeluſt über der Stadt. Wem
der Dienſt Zeit läßt, der ſteigt hinunter zum Haſen, über den
der Wind leichte Kühlung trägt. Draußen in der Bucht liegt
die Flotte der Verbündeten. Rieſige Schlachtſchiffe, ſchwer=
fällig und ſtark, ſchnelle kleine Kreuzer, Zerſtörer, Transport=
ſchiffe überall, große, weite Schuten, hergerichtet um Kavallerie
aufzunehmen, Kohlendampfer. — Durch das Gewirr flitzen
ſchnelle, ſchmale Pinaſſen wie Botenläufer hin und her. Der
Giſcht ſpritzt über den Bug bei der eiligen Fahrt und weht dem
Steuermann ins Geſicht, der hinten am Heck auf ſchwankender
Platte das Schnellboot meiſtert. Nervös fauchen die fran=
zöſiſchen Pinaſſen durch die ſchwach ſich kräuſelnden Wellen,
phlegmatiſch ziehen die Engländer ihre Bahn. Hin und her —
hin und her — ein ewiges Kommen und Gehen. Dazu ſind
beſtändig die großen Mannſchaftsboote der Kriegsſchiffe unter=
wegs — ſechs, acht an einem Seil. Die Pinaſſe ſpannt ſich
vor — ziſchend pfeift weißer Dampf aus dem Auspuff, dann
ein Anziehen, und wenige Minuten ſpäter gleitet der Schlepp=
zug in ſchneller Fahrt über das Waſſer.

Der Abend des 24. April dämmert herauf. Auf den Schiffen
in der Bucht flammen hier und da die Lichter auf, Signallaternen
gehen an den Maſten hoch, auf die neugeſchlagenen Brücken am
Strand fällt der gelbliche Schein ziſchender Bogenlampen. Oben
im Lager ebbt für kurze Zeit das bewegliche Leben — auch hier
unten iſt es ſtill geworden. Soldaten und Schiffbeſatzungen ſind
beim Abendeſſen. Kalt wie der Boreas ſtreicht der feuchte
Seewind heran, die dunklen Wogen mit weißen Köpfen deckend.
Plätſchernd ſchlagen die Waſſer an die Schiffsplanken. Tief

in der Bucht liegt die Queen Elizabeth. Scharf hebt sich ihre
Silhouette gegen den sinkenden Abend. Einer mächtigen, flach
auf der See ruhenden Pyramide gleichend, scheint ihr schlanker
Mast den Scheitel zu krönen. Spielend fahren die Wellen ans
steinige Ufer — rollende Kiesel springen hierhin und dorthin —
grünlich glänzt die See der nahenden Nacht entgegen.

Am Turmmast der Queen Elizabeth gehen blitzschnell vier
Lichter hoch, grün—weiß—rot—grün. Alle andern Schiffe antworten — auch die drahtlose Station auf dem hohen Felsen der
Mudros Bucht gibt das Erkennungszeichen. Knatternd springen
die langen elektrischen Funken aus dem Sender, Befehle über-
mittelnd. Unablässig arbeiten die Empfangsapparate, zuckt der
Morsetaster. An Bord der Schiffe wird es lebendig. Greller
Schein fällt auf die Fallreeps, an denen Barkassen und Schlepper
sich in bunter Reihenfolge drängen. Jetzt spielt vom Suffren
der Blendkegel des Scheinwerfers herüber. Er huscht über die
schwarze See, läßt Myriaden von Wasserflüglern silbern aufleuchten und gleitet dann am Landungssteg hinauf. In seinem
Schein werden Hunderte von Booten sichtbar, die von den
Schiffen unterwegs sind, um die letzten Truppen einzuschiffen.
Nun ist auch die Insel erwacht — Trompeten schmettern —
Trommeln rattern — die Soldaten stehen bereit. Hinter ihnen
staut sich, schier unabsehbar, die lange Linie der Karren, die
hochbeladen mit Säcken, dazu bestimmt sind, den letzten Proviant an die Boote zu bringen.

Kommandos hallen wider. Schwerfällig setzen sich die Truppen in Bewegung. Voran die Australier — ihnen nach die
bunte Menge der Farbigen. Alle zu Fuß. Auf einem anderen
Landungssteg geht man daran, die sich bäumenden und wild
schlagenden Pferde in mächtige Schuten zu verfrachten. An

der Brücke ist unterdessen die Zahl der Mannschaftsboote immer mehr angewachsen. Gespenstisch tauchen sie auf und ab in den unnatürlich vom Licht überfluteten Wellen. Nun springen die vordersten hinein — Leinen fliegen durch die Luft, ein, zwei, drei, vier, haken sich aneinander — feuerspeiend gleitet der Schlepper heran — macht fest, und fort geht die Fahrt — in die Dunkelheit hinein. Klik klak, klik klak, singen die schweren Ankerketten der Kriegsschiffe.

Die Luken sind weit geöffnet. Aus den Leichtern wird der letzte Proviant übernommen. Die Reihe der ankommenden Boote scheint kein Ende zu nehmen und immer wieder durchjagen funkenwerfende Pinassen die schwarze Flut. Klik klak, klik klak — — — Jetzt endlich ist auch der letzte Mann an Bord. Die fauchenden kleinen Ungetüme liegen längsseits. Noch drehen sich ihre Schrauben im Wasser — da greifen ein paar starke Eisenarme von dem Riesen herunter — das Boot hängt ein — hol über — und wenige Augenblicke später schwenkt es ein — auf Deck. Rasselnd gehen die Anker hoch. Schwarzer Rauch entquillt den Schornsteinen und schwimmt in breiter Fahne davon. Der Scheinwerfer erlischt. An Bord wird es dunkel — auch die Positionslaternen werden abgeblendet. Flinke Torpedorenner rauschen nach vorne, dem Ausgange der Bucht zu. Von den Markonistationen grüßen ein paar einsame Lichter. — „Glückliche Fahrt" — „Danke!" signalisiert das Flaggschiff. „Vorwärts — in Kiellinie" — steht am Befehlsmast des Admiralschiffs. — — Ein Rauschen und Gurgeln — die Wasser bäumen sich — dumpf dröhnend wühlen die schweren Schrauben — dann wie ein ferner dunkler Hauch — die allmächtige Armada zieht vorüber, dem Feinde entgegen. — — —

— — — — — — — — —

Von Eltschi-Tepe, einem Hügel in der Nähe des Dorfes
Krithia, auf der Südspitze Gallipolis, genießt man einen herr-
lichen Ausblick auf das Meer. Weithin schweift der Blick an
klaren Tagen bis hinüber zu den griechischen Inseln, die schaum-
geboren aus den rollenden Wogen emporsteigen. Jetzt ist es
Nacht — hoch über dem Gipfel schwimmt einsam im Äther verloren ein Fesselballon. Unten bei den Bedienungsmannschaften,
die scharfen Lugaus auf die See halten, knarrt und ächzt die
Winde, als wolle der ungestüme Geselle dort oben sich jeden
Augenblick von dem stählernen Seil reißen. Fast unheimlich ruht
das Schweigen über der schlafenden Landschaft. Klar und deutlich schallt der geringste Ton durch die Gefilde. Fernes Dreschen
scheint herüberzudröhnen — klipp, klapp — klipp — klapp —
wie wenn hundert Flegel hier und dort ins reife Getreide fielen,
dann wieder der langgezogene Schrei eines Hundes — weit —
weit her. Zweige knacken — Schritte meint man zu hören —
dann Totenstille. Nur die Heimchen zirpen unaufhörlich und
die Winde knarrt ihr altes Lied. Der Schrei einer Nachteule
schreckt die müden Nerven der Wachen. Mit leisen, unheimlichen
Flügelschlägen, die so sanft schwingen, als würde die stille Luft
gar nicht bewegt, streicht der große Vogel gespenstig vorbei.

Der junge Leutnant Noureddin tritt aus dem Lagerzelte.
„Was Verdächtiges, Jungens?" „Nein, Herr Leutnant." Der
Unteroffizier, ein stämmiger Armenier, springt vor. „Melde
gehorsamst, daß eine Maschinengewehrabteilung vom Kreuzer
„Midilli" soeben Richtung auf Krithia passiert hat." „Gut, weiter
nichts." „Nein, Herr Leutnant." „Paßt mir auf den Ballon —
der Wind scheint zu frischen." Schrill tönt die Glocke aus dem
Zelt. Funkspruch vom Ballonbeobachter! In drei Sätzen ist
Leutnant Noureddin am Apparat. Lang rollt der Morsestreifen

ab. In der Höhe von Imbros scheint die feindliche Flotte
Aufstellung zu nehmen. Gegen Kap Kephalo ist mit Sicherheit
grünes Blendlicht ausgemacht, das unzweifelhaft von einem
in Fahrt befindlichen Schiffe herrührt. Einzelne Funkenwürfe
sind beobachtet, deren Entfernung voneinander auf ein größeres,
in Kiellinie fahrendes Geschwader schließen läßt. Tick, tick, tack
— tick tack — klappt der Taster — Nourebbin gibt die Meldung
an das Hauptquartier weiter. Nun wendet er sich hinaus.
„Unteroffizier! — halten Sie mit dem Nachtglas scharf nach
dort hinüber — ein Fingerzeig gibt die Richtung — und sobald
sie irgendeine Veränderung auf der See bemerken" — — er
vollendet den Satz nicht. Unaufhörlich kommen jetzt die Nachrichten von oben. — Durch die dichte Wolkenwand blinzelt für
ein paar Augenblicke der Schein des untergehenden Mondes.
Im Westen steht eine helle Wolke — zehn Augenpaare blicken
gespannt auf die dunkle See. Der Unteroffizier hat sein Fernrohr auf die Schulter eines Soldaten gelegt um ruhiger beobachten zu können. Alles wartet fieberhaft auf das Erscheinen
des Mondes. Da jetzt bricht er durch — lang fällt eine gelbe
Lichtbahn über die schwarzen Wasser. Wenige Sekunden nur,
doch sie genügen, um den Auslugenden die ganze feindliche
Armada in Anmarsch zu zeigen. „Hol runter" — funkt der
Ballon. Geschmeidig dreht sich die Winde — Rad greift in
Rad — langsam sinkt der gefesselte Riese zu Boden. Sein Werk
ist vollbracht.

Auf der Halbinsel aber wird es lebendig. Leise geht der Befehl von Schützengraben zu Schützengraben — an die Gewehre — dunkle Gestalten eilen hierhin und dorthin — dann
wieder Ruhe — die Verteidiger sind bereit, den Feind zu empfangen. Es ist um die vierte Stunde des neuen Tages.

Mählich schiebt sich die feindliche Flotte vorwärts. Das
einsetzende Dämmerlicht läßt nach und nach Einzelheiten erkennen. Dunkle Schatten gleiten über die See, krause Figuren
werden sichtbar. Leutnant Noureddin setzt hin und wieder das
Prismenglas ab und schüttelt den Kopf — auch der Unteroffizier blickt fragend auf seinen Vorgesetzten. Was geht dort
unten vor? Sind das Manöver, die eine Landung bezwecken —
ist eine neue Beschießung zu erwarten — demonstriert der Feind
hier nur durch das Gros seiner Schiffe, um die Aufmerksamkeit
der Verteidiger abzulenken und leichter mit schwächeren Kräften
in den Mund der Enge einzudringen? Fragen häufen sich auf
Fragen. Drei Schiffe lösen sich aus dem Verbande und dampfen
gen Norden davon. Deutlich sieht man ihre riesigen Schatten
über das Wasser dahinhuschen. Wieder vergeht eine geraume
Zeit. Dichte Schleiernebel sinken auf die See und hängen
sich wie ein weißes Laken vor die Ferngläser. Die Flotte mag
jetzt 2500 Meter von der Küste liegen — doch für das Auge
bleibt sie unsichtbar. Die Wachen werden vorgeschoben —
knatternd schraubt sich ein Flieger in die Lüfte und ist wenige
Augenblicke später in dem dichten Dunst verschwunden. Der junge
Offizier blickt aufgeregt durch den Fernseher. Ihm ist die
Stellung hier oben anvertraut und es kommt viel darauf an,
die Bewegungen des Feindes richtig zu erkennen. Über dem
Meer schwimmt wie ein weißes Wolkenmeer der sinkende
Nebel — alles verhüllend. Da bricht das blendende Licht eines
nahen Scheinwerfers suchend durch die endlose Nebelwand und
im selben Augenblicke werden lange Schlangenlinien von
Booten sichtbar, die alle der Küste zustreben. Verlassen scheint
ihre Schar auf dem weiten Meere zu schwimmen — Schiff-
brüchigen gleicht ihre Besatzung, die auf schwanken Schiffchen

die letzte Rettung suchen. Drei, vier Lichtbündel schieben sich zugleich durch den dichten Dunst — aber auch sie können nicht mehr entdecken als die Menge der Boote, die strahlenförmig auf das Ufer zuhalten. — — Zischend zieht eine Rakete ihre leuchtende Bahn, bis ihr bläulicher Kern sich hoch über den türkischen Stellungen knatternd enthüllt. — — —

Jetzt sind die Boote nahe genug dem Lande, daß man ihre Umrisse mit bloßem Auge erkennen kann. Die kleinen Schlepper werfen los und dampfen zurück, Boot und Mannschaft sich selbst überlassend. Geräuschlos tauchen die Ruder in das von den ersten Lichtreflexen matt schimmernde Wasser. Dicht aneinander gepreßt sieht man die Kakiuniformen der Angreifer. Nun sind sie nur noch wenige hundert Meter vom Ufer entfernt.

Über dem flachen Strand erhebt sich, nach wenigen Schritten steilansteigend, das steinige Hochland. Dort oben im zerklüfteten Fels liegen seit Tagen die Scharfschützen des Trapezunter Landwehrregiments unter ihrem tapferen Führer Abdullah Bey und warten auf den Feind. Hell blitzen heute ihre Augen, schußbereit liegt der Finger am Abzug. Noch ist das Licht zu schwach, um das Korn vorn auf der Büchse zu erkennen. Sie haben ein paar Lederrohren über den Lauf geschoben und visieren nun durch diese auf die anlaufenden Boote. Neben ihnen, hinter schützendem Geröll, hat sich die Maschinengewehr-Kompagnie Karahissar eingegraben. Ihr Kommandant blickt scharf nach den Schiffen aus. Von Zeit zu Zeit prüft er den Neigungswinkel und läßt die Gewehre richten. Nun gleiten die ersten Boote in seichteres Wasser. Deutlich erkennt man die geringere Tiefe an der Färbung des Meeres. Etwa 300 Meter mag der Abstand sein — da pfeift die erste Salve über sie hin. Und

dann geht es ununterbrochen. Wie ein schnurrendes Uhrwerk
rattert das monotone tack — tack der Maschinengewehre durch
den werdenden Morgen. Peitschenknall gleich zerreißt das
Feuer der Scharfschützen die ruhende Atmosphäre. In den
vordersten Booten herrscht wilde Panik. Unerbittlich mäht der
Tod in die dicht gedrängte Schar. Wer sich erhebt, wird von den
Scharfschützen aufs Korn genommen und fällt unter ihren
wohlgezielten Kugeln. Zwei Boote schaukeln auf den hüpfenden
Wellenkämmen, doch kein Leben rührt sich mehr in ihnen. Ihre
Wände sind durchlocht wie ein feines Sieb. Strudelnd kreisen
die Wasser hinein, bis das schwanke Fahrzeug zum Rande gefüllt, wie ein Pfeil von der Sehne geschnellt, gurgelnd in den
Abgrund schießt. — — Neue Boote kommen und neues Leben
wird vernichtet. Man sieht Männer über die Leiber ihrer gefallenen Kameraden hinwegsteigen — man hört Röcheln und
Todesgestöhn. Und dazwischen immer dasselbe unerbittliche
tack tack — die Melodie des Todes. Wahnsinnskämpfe scheinen
sich dort unten zu vollziehen — einmal und noch mal taucht
das lange Messer eines hühnenhaften Schwarzen in die menschliche Bootsfracht, dann bricht er selbst, von einem wohlgezielten
Pistolenschuß getroffen, die Hände jählings in die Luft werfend,
im flachen Wasser zusammen. Hochgewachsene Australier
springen ins Wasser — vorwärts — vorwärts um jeden Preis
— hier ist die Hölle. Nahezu 80 Boote liegen am Strande,
nahezu 4000 Kämpfer wälzen sich den steinigen Höhen entgegen. Noch immer rattern die Maschinengewehre, noch immer
pfeifen die wohlgezielten Kugeln der tapferen Landwehrleute
durch die taufrische Luft — doch allmählich wird ihr Feuer
schwächer. Der Feind hat in den Sanddünen Deckung gefunden
und ihre Geschosse fassen ihn nicht mehr. Oberstleutnant Ab-

dullah Bej gibt den Befehl, in die zweite Stellung zurückzu-
gehen. Mißmutig gehorchen die Leute seiner Weisung, sie
können so gar nicht verstehen, weshalb man nicht auf dem
vordersten Posten ausharren wolle. Auch die Scharfschützen
gehen langsam in neue Deckung.

Mittlerweile hat sich der Nebel gehoben und das Licht des
jungen Tages streicht schmeichelnd über Land und See. Fernab
werden die gigantischen Leiber der Schlachtschiffe sichtbar, die
sich unter dem Schutze des Nebels wieder zurückgezogen haben.
Vor ihnen durcheilen ein paar Zerstörer die spiegelnde Flut. Um
sie drängt sich eine Schar von Booten, dazu bestimmt, immer
frische Truppen an Land zu tragen. Unterdessen schicken sich die
vordersten Reihen der Gelandeten an, sprungweise den Strand
zu durchqueren, um das höher gelegene Gestade zu erreichen.
Schon klammern sich viele hundert Hände an den rissigen Stein,
schon geht es Schritt vor Schritt vorwärts — dem Ziele entgegen — da kreisen kleine festgeballte Wölkchen über den Köpfen
der Angreifer, und im nächsten Augenblicke stiebt ein Hagel von
Bleikugeln auf sie hinab. Die türkische Artillerie ist im letzten
Moment in Eilmärschen herbeigeeilt und schüttet ihr vernichtendes
Feuer auf die Stürmenden. Krach auf Krach — es ist als ob der
Himmel berste. Unaufhörlich fällt der Eisenregen auf die Schar
der Todesmutigen. Schwankend kommt ein Wasserflieger übers
Meer gezogen — hoch in den Lüften umkreist er die türkischen
Stellungen, dann rattert er eilfertig zurück. Achtung! brüllt
ein Artillerieoffizier — sein weiteres Kommando verschlingt
der Knall krepierender Schrapnells. Das Feuer schweigt —
in der ungewohnten Stille hört man das Scharren der Hufe
ungeduldiger Pferde, das Fluchen der Kanoniere — Peitschenknall und einen kurzen Galopp — wieder Befehlsrufe — und

Ruhe. Drüben über den Backbord der Schiffe laufen feurig
züngelnde Schlangen — schwer rauscht und pfeist es durch
die Luft — Jäh zerreißt die Atmosphäre, um sich im näch=
sten Augenblicke wie lähmend auf das Gehör der Menschen zu
legen. Die feindliche Flotte bombardiert mit ihren schweren
Geschützen die Küste. Die Granaten bohren sich in den klingen=
den Fels, splittern weithin, werfen Stein und Erde gen Himmel
und verwüsten die Stelle, wo eben noch die türkische Artillerie
hielt. Nun braust ihr eherner Gruß von drüben herüber und
reißt neue Lücken in die Reihen der Angreifer. Sie müssen
zurück. Wieder öffnen sich ihnen zu kurzer Rast die schützenden
Dünen — doch diesmal sind sie ihr Unglück. Wie in einen
Kessel fällt das türkische Feuer. Von den Flanken, von oben
streuen die Maschinengewehre ihre vernichtende Saat — das
rattert und ruckt — kein Weg, kein Steg bleibt unberührt —
überallhin bringt die Eisenflut. Sie müssen zurück. — Nur
noch wenige Schritte hinter ihnen dehnt sich das unendliche
Meer — kein rettendes Boot — nur immer neue Scharen
von Kämpfern springen in hastenden Sätzen durch das flache
Wasser.

Weithin ziehen die Boote auf rollender See den feuerspeienden
Riesenleibern entgegen. Da faucht es in dumpfem Gedröhn über
die Köpfe der Todgeweihten und bohrt sich schwefelgelb berstend
in den harten Grund — und noch mal und immer wieder.
In scheußlicher Sprengung platzen die 15=Zoll=Granaten der
englischen Panzer unter den eigenen Leuten, alles vernichtend
und in Riesenwolken schwefelgelben Lydditrauches hüllend.
Wilde Panik bricht durch die Reihen der Verzweifelten — wie
irrend laufen sie im furchtbarsten Kugelregen sinnlos hin und
her — jetzt gilt es nicht Deckung nehmen vor dem Feuer der

Türken, jetzt heißt es dem eigenen Vernichtungswerk entrinnen.
Und immer noch legt sich erstickend der gelbe atemraubende
Dunst über die Schar der Ringenden. Die Schützen, die Kanoniere sehen voller Mitleid in das furchtbare Menschenchaos, in
die stieren Augen und den wilden Blick der erbarmungslos
Hingeschlachteten. Todesschreie, wie sie nie ein Menschenohr
vernommen, entsetzliche Raserei, viehisches Brüllen, ohnmächtige Ergebung in das Schicksal. Viele rennen mit dem
Kopf gegen die Felsen, um das blöde Hirn zu zerschmettern,
andere winken hinauf, um eine Kugel flehend, wieder andere
stürzen sich in die grünlich gleißenden Wogen, sinken unter, kommen wieder hoch in dem seichten Wasser — schlagen verzweifelt
um sich — sinken, gurgeln, bis die Flut über ihrem todesmatten
Körper spielend dahinstreicht. Offiziere setzen die Pistole an
die Schläfe, Schwarze fletschen in toller Wut die blendenden
Hauer, stoßen ihr kurzes Messer hierhin und dorthin, in Leichen
und Lebende, bis sie selbst von einer Kugel getroffen, oder von
einem Bajonett durchbohrt, ihr wildes Blut auf der furchtbaren
Walstatt vergießen. Und über dem allen, über dieser Szene
des Jammers, des Sterbens und der Raserei platzen die Lyddit-
granaten der Engländer und füllen die Luft mit giftigen gelben
Gaswolken.

Endlich scheint man auf der feindlichen Flotte den Irrtum
zu entdecken. Einige Minuten lang schweigt das Feuer — dann
bricht es mit spontaner Gewalt von neuem los. Doch diesmal
ist das Ziel besser gewählt. Hoch über den Köpfen der Anstürmenden ziehen die Geschosse ihre Bahn, um auf dem höhergelegenen
Flachlande zu krepieren. Tanzenden Quecksilberkügelchen gleich
hüpfen die Schrapnellkugeln über den harten Stein. In langer,
weit auseinander gezogener Front nähern sich die Schlacht-

schiffe der Küste. Ihr Feuer liegt schwer auf Krithia, am Fuße
des Achi Baba, dem Hauptstützpunkt der türkischen Streitkräfte
auf der Südspitze Gallipolis.

— — — — — — — — — — — —

Bei Tekke Burun, unweit der Ertogrull=Batterie schwebt ein
Ballon hoch in den Lüften. Die schrägfallenden Sonnen=
strahlen lassen seine graue Hülle zuweilen hell aufleuchten —
dann blitzt es auch über das Seil, das straff gespannt, häufig
im hellen Klang der aufspritzenden Geschosse mitklingt. Die
Batterie gibt Steilfeuer auf große Entfernung. Hierhin und
dorthin lenkt der Beobachter die Schußrichtung. Ein Treffer
fährt durch den Schornstein des feindlichen Kreuzers, der mit
Volldampf die Gefahrzone verläßt. Unablässig schrillt das
Telephon von oben. Vom Admiralschiff wird heftig signalisiert.
Augenscheinlich hat man auch dort drüben den lästigen Beobach=
ter unter den Wolken entdeckt. Winzig, wie ein schwirrender
goldener Netzflügler im blauen Äther, steuert ein Doppeldecker
heran. In steilem Winkel sind die Abwehrkanonen gerichtet.
3000 Meter schätzt der Offizier, und unser Ballon steht kaum
über 450. Immer wieder verschwindet der gleißende Vogel
dort oben den suchenden Augen — er steht so sehr im Licht, daß
auch der Fernseher ihn nicht festzuhalten vermag. Da, jetzt zuckt
es breit und gleißend über seine flimmernden Gleitflächen und
im nächsten Augenblicke schießt der große Vogel in scharfer
Kurve fast senkrecht herab, gerade auf den ruhig schwimmenden
Ballon zu. Doch die Kanoniere haben gut aufgepaßt. Das
heult und pfeift und johlt — über Tekke Burun sauchen die
Granaten hoch — eine nach der anderen — immer mehr.
Grünliche Wölkchen schimmern um den kühnen Doppeldecker.

Kopfgroß, wild gezackt, stehen sie am blauen Himmel. Langsam tropft ein feiner Rauch durch den stillen Äther. Wie der langgezogene Trichter einer vom Wirbelwind erzeugten Wasserhose streicht er mählich ab. In sausender Fahrt schwebt der Flieger davon — jetzt steht er über Seddil Bahr — nur ganz schwach — wie zwei feine Striche übereinander ist der Doppeldecker noch sichtbar. Doch da — da kehrt er zurück und neben ihm zieht von den Dardanellen herauf ein zweiter Flieger. Nicht so groß, tiefer, als Eindecker deutlich zu erkennen, schwankt er in der durchsichtig klaren Atmosphäre. Der Doppeldecker überholt ihn, der in gerader Linie auf den Ballon zustrebt, und sucht von Osten her in hoher Fahrt sein Ziel zu treffen. Nun ist er wieder ganz den Augen entschwunden. Unterdessen ist der Eindecker den Batterien nahe genug gekommen. Eine volle Barriere von Schrapnells legt sich vor seinen Weg — die weißen Wolken der Sprenggase scheinen ihn einzufangen wie Himmelsschäfchen ein Stück des blauenden Himmels. Umsonst — unbekümmert steuert das Flugzeug seine Bahn. Immer stärker wird der Kanonendonner, immer hastiger eilen die heulenden Geschosse ihre Bahn. Nun stürzt er sich tollkühn in die scharfe Kurve, scheint einen Augenblick senkrecht auf der Tragfläche zu stehen und schießt mit ratternder Schnelligkeit immer noch zu hoch, um eine Bombe mit Erfolg anbringen zu können, über den Ballon hinweg. Die Geschütze legen eine ganze Salve weit vom Ziel in die leere Luft. Sie haben sich nicht so schnell in die neue Lage einstellen können. Jetzt kommt auch der Doppeldecker zurück. Die Lage wird kritisch. Unbekümmert, als ob ihn das alles gar nichts anginge, schwimmt unterdessen der Ballon dort oben. Schrill tönt ab und zu das Beobachtertelephon durch die Batterie, dann meldet es, daß irgendein Schiff ge-

troffen, daß die feindlichen Panzer irgendein neues Ziel aufs
Korn genommen, oder daß die eigene Salve zu weit rechts,
links oder über die Schlachtschiffe hinweg das Wasser durch=
furche.

Der Artilleriekommandant hat mittlerweile das Gefähr=
liche der Lage erkannt und um Unterstützung gebeten. Eine
Maschinengewehrkompagnie rückt heran. Noch immer schwimmt
der Doppeldecker im lichten Äther. — Jetzt läßt er sich langsam
herab — in mächtigen Serpentinen schwebt er tiefer und tiefer.
Auch der kleine Eindecker hat eine Kurve beschrieben und nähert
sich aufs neue dem Ballon. Der Zweidecker ist abermals dem
Auge entschwunden. Der schwächere Eindecker biegt kurz vor
dem Ziele ab und fliegt in entgegengesetzter Richtung davon.
Da kommt der große Vogel zurück — ruckweise geht er in eiliger
Fahrt tiefer und tiefer — zuweilen scheint seine Spitze fast senk=
recht dem Boden entgegenzustreben. Ihm nach folgt surrend
der Eindecker. Abermals pfeifen die Schrapnells gen Himmel
— wieder heulen sie ihr wildes Lied durch die Luft — ganze
Bastionen jener unheimlichen Wölkchen stehen vor dem ge=
fährdeten Ballon. Der Zweidecker kann nicht weiter, er muß
ausbiegen — in scharfem Winkel streicht er ab. Doch wie durch
ein Wunder bahnt sich der Eindecker den Weg. Kaum 1000 Meter
steht er hoch — geradlinig steuert er den Ballon an. 760 Meter
Abstand, 720, 650, blitzschnell folgen die Kommandos einander.
Die Artillerie hat nicht Zeit, ihre schweren Rohre zu richten.
Die Maschinengewehre schaffen schnellere Arbeit. Pfeifend ziehen
tausend Geschosse ihre Bahn. Goldig im Sonnenstrahl schwankt
der Eindecker hin und her — er rattert, setzt aus — knallt an —
sinkt — schwankt, daß man meint, er müsse kopfüber zu Boden
stürzen — gleitet ein Stückchen — bäumt sich noch einmal auf

und schießt in schnurgeradem Lauf zu Boden. Der Motor ist ge=
troffen. Zwei englische Offiziere werden hinter die Front ge=
bracht. Der große Vogel kommt nicht mehr zurück. Dafür
knattert ein türkischer Kampfflieger über Ertogrul dem asiatischen
Ufer entgegen. Deutlich leuchten Stern und Halbmond von
seinen breiten Tragflächen. — — —

Fünftes Kapitel.

Schwül liegt der Mittag Kleinasiens auf der Landschaft.
Über die neue breite Militärstraße, die von Tschanak Kalessi
nach Renköi und weiter nach Kum Kalessi, dem Sandschloß
führt, stampft unaufhörlich der Eilschritt vorwärts hastender
Infanteriekolonnen. Die rechte Seite des Weges ist frei. Dort
klatschen die Hufe vorbeisprengender Kavallerie in den weichen
Boden. Tanzend schwingen die Köpfe der Reiter über dem
rastlos eilenden Fußvolk. Ein Stabsauto rast vorbei — hoch
auf wirbelt der Staub — eine dichte Wolke löst sich ab und treibt
den Marschierenden ins Gesicht. Artillerie folgt in gestrecktem
Galopp. Die kurzen Peitschen der Kanoniere treiben die Pferde
zu immer schnellerer Gangart. Zu dreien sitzt die Geschütz-
bedienung fröhlich lachend und scherzend auf den engen Protzen.
Der Batterieführer, Hauptmann Rahmi Bey, prescht säbel-
klirrend an die Spitze des Zuges. Man ist dicht hinter Dardanos,
und wenige Kilometer südlich bei Karantina landet die feind-

liche Flotte unaufhörlich ihre schwerkalibrigen Geschosse. Hoch hebt sich der Offizier im Sattel. Vor Seddil Bahr liegt ein Teil der feindlichen Flotte und feuert mit Schrapnells auf die Straße. Zwischen Karantina und Ophrynion, soweit das Auge reicht, bohren sich die Eisenkoffer in die Erde. Dort ist der Weg gesperrt. Der Offizier schwenkt die Hand — die Kanoniere reißen die Zügel zurück — Unteroffiziere geben den Befehl weiter — knirschend ächzt das Gestänge — die Pferde bäumen sich — die Batterie steht. Pioniere müssen vor — einen neuen Weg zu bahnen. Doch es ist kein Trupp in der Nähe. Die heranrückende Infanterie greift ein, die Kanoniere sitzen ab und mit Hacken, Piken und Schaufeln wird das Werk vollbracht. Ratternd fliegen die Geschütze über den holprigen Boden — über Gräben und Hügel hinweg, dem Ziel entgegen.

Bei Marpessos, auf vorspringendem Hügel, haben geschickte Hände schnell eine Scheinstellung errichtet. Aus guter Deckung beobachten die Offiziere den Erfolg des Werkes. Da — der „Amethyst" dreht bei — heulend fahren die ersten Granaten in hohem Bogen durch die Luft und zerspringen auf dem Eisenerz des Hügels. Weiter geht das Spiel — für eine kurze Zeitspanne ist das Feuer abgelenkt und in langen Sprüngen können neu anrückende Fußtruppen die gefährliche Straße am Meer passieren.

Dicht hinter Renköi teilt sich der Weg. Westlich führt eine Straße am Aiashügel vorbei, in leichten Windungen gegen Kum Kalessi und die moderne türkische Riegelbefestigung Orchanie, mehr östlich schlängelt sich die uralte Eichenallee durch das sumpfige Tal des Simoeis nach dem kleinen osmanischen Dorfe Halil Eli, um dann in zwei schlanken Beugungen, an der Höhe von Hissarlik vorbei, geradeswegs auf die sagenum-

wobene Stätte Ilions zu treffen. Diesen Weg ziehen die
Reservetruppen. Gigantisch, verwundeten Riesen ähnlich, recken
die hundertjährigen Eichen ihre zersplitterten, knorrigen Äste
gen Himmel — hier und da liegt einer der Titanen, die Sturm
und Wetter ein paar Menschenalter ohne zu wanken ertragen
haben, gefällt am Boden. Durch das Blattwerk pfeifen und
surren die ehernen Todesboten. Wie gehetztes Wild jagt die
geängstigte Bevölkerung durch die sumpfige Ebene, auf schwan=
kem Karren die wenigen Habseligkeiten mit sich führend. Zu
Fuß hinterdrein peitscht der türkische Bauer erbarmungslos
auf die ermatteten Zugtiere, sie immer von neuem zu schnellerer
Gangart antreibend. Frauen und Kinder schreien auf, sobald
ein Geschoß in der Nähe einschlägt und mit dumpfem Knall
auseinanderreißt. Die ganze trojanische Ebene ist in erstickenden
Rauch gehüllt. Nur ab und zu sieht man ferne, grelle Blitze
über das unheilschwangere Firmament zucken — dann ducken
sich die Kleinen tiefer unter die schützende Plane — weiter
rattert der Wagen, häufiger zischt die Gerte des Treibers über
den Rücken der Maultiere — das elende Volk flieht vor dem
ungewissen Schicksal.

Über Tschiblak zittert rote Glut in der heißen Nachmittags=
sonne. Kleine ausgedörrte Holzhäuser brennen wie geschichtete
Scheiterhaufen und werfen einen Funkenregen empor, der
wirbelnd und stäubend auf Stroh und Dächer niedergeht. Dann
lodert die Spreu und blutrot wie der Schlachtentod stößt das
Fanal durch die ohnmächtige Kraft. Pechiger Stickrauch deckt
die Stätte der Vernichtung.

Bei Troja, hinter schützenden Ruinenhügeln, lagert die tür=
kische Infanterie, begierig auf den Augenblick zum Eingreifen
wartend. Endlich um die sechste Abendstunde kommt der Be=

fehl zum Vorgehen. In langen Marschkolonnen setzten die
Regimenter sich in Bewegung. Durch ein Scherenfernrohr
sucht Hauptmann Rahmi Bey den Küstenstrich ab. Kein Feind
ist zu sehen, nur der graue Enverial schaukelt durch die Ska-
mandros-Niederung. In weitgezogenen Schwarmlinien nähern
sie sich dem Kap Jenischehr, auf dem französische Kolonialtruppen und Senegalneger festen Fuß gefaßt haben. Von
fernher klingt das Knattern der Gewehre gegen die Hügel.
Dort unten muß ein erbitterter Nahkampf im Gange sein.
Über das Flußtal hört man schwache Allahrufe herüberschallen.
Nun sind die Reserven am Feinde. Mit unbeschreiblicher
Todesverachtung stürzen sich die tapferen anatolischen Regimenter auf ihre Gegner. Die Gewehre haben sie entladen und
nur das zweischneidig geschliffene Bajonett blitzt ab und zu
in den letzten Strahlen der sinkenden Sonne. Deutlich sieht
der Offizier den blanken Strahl sich neigen und wieder erheben
und jedesmal weiß er, es ist ein Feind Allahs — den der wohl-
gezielte Stoß seines Jüngers ins Nichts sandte. Wieder blickt
er hinüber nach der Stelle, wo zuerst die Allahrufe hörbar
wurden. Jetzt lassen sich auch die Linien der Kämpfenden
deutlich unterscheiden. Der Feind muß also an Boden gewonnen
haben. Wie ungeheure lange Bänder, schwarz auf seiten der
Angreifer, grau in den türkischen Linien, wogt der Kampf
wellenförmig hin und her. Bald schiebt sich das schwarze Band
nach vorne und buchtet sich hier und da aus, bald biegt es sich
ein, schlägt an den Enden um, und weicht zurück. Es ist eine
ewige Vor- und Rückwärtsbewegung. Die Angriffstruppen
scheinen sehr stark zu sein und der Hauptmann wundert sich,
daß kein Befehl zum Vormarsch kommt.

Ein seltsamer Trupp nähert sich dem türkischen Lager —

5*

Schwarze in weißen Hosen und bunten Jacken, die Gewehre
zusammengebunden mühsam nachschleifend. Zwischen Binsen
und Lachen zieht er hindurch geradewegs auf das Ruinenfeld
zu. „Sind wir etwa hier um Gefangene zu bewachen," wendet
sich Rahmi Bey an den hochgewachsenen deutschen Offizier, der
eben lächelnd neben ihn getreten ist, „ich dächte hier gebe es
bessere Arbeit für meine Jungen. Sehen Sie nur dort jenes
schwarze Band" — er vollendet den Satz nicht — hin und her
äugte er durch den Fernseher. „Wahrhaftig sie gehen zurück —
die graue Linie wächst und wächst, der Feind flieht — Allah sei
Dank!" „Hurra!" fällt der Deutsche ein und schwenkt den Helm.
Donnernd geben ein paar hundert Matrosenkehlen das Echo,
in vielfachem Widerhall, von den ehrwürdigen Ruinen zurückgeworfen, schwebt der deutsche Heilsruf über die troische Ebene.

Einem feinen Schleier gleich breitet sich die Dämmerung
über das weite Land. Hauptmann Rahmi wirft einen letzten
Blick auf die schnell dunkelnde Landschaft, dann wendet er sich
mit großen Schritten zu den ringsherum lagernden Truppen.
Die Soldaten haben abgekocht und liegen in Gruppen um die
in den Boden gesenkten Kessel, unter denen ein stechender
weißlicher Rauch mühsam hervorquillt. Abseits stehen zu Reihen
geschichtet die schweren Tornister — nur den ausgerollten Mantel
haben die meisten der Ruhenden noch über Schulter und
Rücken geschlungen. In allen möglichen Stellungen, wie sie
ihnen das wellige Erdreich bot, lagern die ermüdeten Truppen.
Ein kleiner Kreis von Offizieren hockt mit untergeschlagenen
Beinen um eine große Karte, auf der suchend das winzige Licht
einer Taschenlampe hin und herfährt, und studiert die wenigen
schlechten Pfade, die als nächste Wege nach der Küste führen.
Die Geschütze sind aufgefahren und strecken drohend ihre ehernen

Rohre über das rastende Heer. An langem Halfter halten die
Meldereiter ihre kleinen, flinken Araberpferde. Stramme,
schwarze Gestalten, deren Größe die herabsinkende Sonne noch
übertreibt, stehen vor dem Kommandantenzelt. Heftig gestikulierend suchen sie sich in wunderlicher Zeichensprache mit
den türkischen Soldaten zu verständigen. Es sind Überläufer
von den feindlichen Landungstruppen — Mohammedaner, die
der heilige Krieg um die Fahne des Propheten schart. — Schwarz
legt sich die Nacht über die Gefilde Ilions — schwerer schlagen
die fernen Geschütze — dumpf dröhnt ihr Klang herüber —
grell huscht der Abglanz bleichen Lichtes über das ferne wolken-
getürmte Firmament.

Klatschende Hufe schleudern den nebelgetränkten Boden. —
„Befehl vom kommandierenden General.“ Ein Bataillon Infanterie setzt sich in Marsch — Hauptmann Rahmi Bey mit
zwei Batterien folgt im Schritt. Kum Kale muß auf jeden Fall
vom Feinde gesäubert werden, koste es, was es wolle. — Es ist
ein abenteuerlicher Zug durch das nächtliche Mäandertal —
kein Weg, kein Steg — festgelegte Pfade erweisen sich als un-
gangbar, weil reißender Regen sie in einen einzigen großen
Schlicksumpf verwandelt hat. Ächzendes Schilf rauscht und
knirscht vom rauhen Seewind getroffen — überall Sumpf,
überall Wasser und dazwischen nur selten ein trockener tragender
Richtweg, dessen moorige Erde erzittert, wenn der Schritt der
vorwärtseilenden Kolonnen darüberführt, und dessen Boden
schwankt, als wolle er sich jeden Augenblick ins nahe Wasser
stürzen, wenn die schweren Geschütze in leichtem Trabe passieren.
Die Offiziere sind überall — hier den Weg weisend, dort zur
Eile treibend. Vorwärts — vorwärts. — Die Kanoniere sind
abgesessen und traben neben den Geschützen her. Die mit allen

Mitteln aufs äußerste angetriebenen Tiere stemmen sich, die Hinterläufe weit zurückbeugend, mit ganzer Kraft in den weichen gleitenden Boden. Dann greifen die derben Fäuste der Artilleristen in die Speichen der Räder, hinzuspringende Infanteristen fassen an und fort geht es über Hügel und Gräben, über Moor, durch Lachen und Schilf, dem näher und näher tönenden Geschützdonner entgegen. Pferde fallen und sinken ein, schaumig wäscht die Flut um die Knie der watenden Truppen — was hilft es — wir müssen. Alle Menschenkraft vereinigt sich zu dem einen Werk, die Kanonen sicher hinüberzubringen. „Herr Hauptmann, es geht nicht!" — die Räder wühlen sich tiefer und tiefer in den trügerischen Sumpf. „Es muß gehen!" Immer nur dies eine unerbittliche „Muß", — es zwingt die Geister — es zwingt die Kräfte und es geht. — Die Rohrläufe werden abgenommen — die Räder mit breiten Brettern umlegt — Munitionswagen entleert, und ihre kostbare Last auf hundert, nein viele hundert Schultern verteilt. Sie kommen vorwärts — das unmöglich Scheinende gelingt. Gegen die zweite Morgenstunde des neuen Tages ist die große Straße von Renköi nach Kum Kale erreicht. Im Galopp zieht die Artillerie an den im Eilmarsch vorrückenden Fußvolk vorbei.

Schmetternd klingt das Sturmsignal über das verlassene Städtchen am Meer. Vorwärts beugen sich die Körper, straffer spannen sich die Muskeln, fester umklammert die Hand den Gewehrschaft — Feuer sprühen die Augen. Die Offiziere haben den Säbel gezogen und sich an die Spitze der Kolonnen gesetzt — dem Feinde entgegen. Der liegt in langer Schützenlinie oder in schnell aufgeworfenen Gräben nahe den Häusern der halbzerstörten Feste. Deutlich sieht man die Offiziere hinter den Schützen stehen und nach den Anstürmenden hinüber-

visieren. Den Finger am Abzug, regungslos, wie mit der Gefahr
spielend, erwarten Frankreichs berüchtigte Fremdenregimenter
den Angriff. Drei, vier Schüsse huschen vorschnell in die todes=
mutigen Scharen. Sie schlagen Lücken — was tut's. Weiter —
weiter. Die Trommel rattert immer den gleichen Ton —
rataplan — rataplan — als wolle sie die bittere Wahrheit fest
in die denkunfähigen Gehirne hämmern. Rataplan — rataplan
— ein Pfeifen und Zischen, ein Sausen und Splittern als sei
die Hölle los — und nun wieder — furchtbare Augenblicke —
schreckliches Stöhnen, stiere Blicke — flehende Angen. Ganze
Reihen liegen, niedergemäht von spitzigem Eisen auf der Wal=
statt, und immer neue fallen — mitten im vollen Lauf aus dem
Leben herausgerissen — den Kopf hochaufgeworfen — die
Hand auf der Todeswunde, wie um mit letzter sterbender Kraft
den pulsenden Saft in die armen zerrissenen Arterien zu drücken.
Rataplan — rataplan! Stier wird das Auge, wild zuckt der
Mund — Allah, Allah. Ein Brüllen ist es, kein frommer Ruf —
vom Schlachtengott gegeben — ein Ruf der Rache, der Wut,
der Verzweiflung, der Raserei — alles in allem. Nun kreuzen
sich die Waffen — Hieb und Schlag — Stich und Stoß. Wer
fleht, um Pardon — wer gibt ihn? Nur Todesmatte senden
ihre bittenden Blicke auf die stierenden Augen der Ringenden.
Was treibt die Schar? — die mächtige Liebe zum Vaterlande,
zum Gott und Herrscher ihrer Völker. Was hält den Feind?
Der eherne Zwang — es gibt kein Zurück — hinter ihm lauert
das feuchte Grab. Hin und her — hin und her — rataplan —
rataplan — plan.

Steil schießt das Ufer zum Meere. Scharf krümmt sich
der Flügel des weichenden Feindes. Hinter den grauen zu=
sammengeschossenen Zinnen der alten Feste steht die türkische

Artillerie. Ihr Gesang hallt über die Kämpfenden hinweg, den nahenden Booten entgegen, vernichtet sie — schlägt sie alle. Hüben und drüben ist die Raserei bis zum Paroxismus gestiegen. Um jeden Zoll Boden fließen Ströme roten Blutes. Die Franzosen können sich nicht länger halten und jagen den wenigen Booten zu. Da weichen die Türken zurück und nun braust aus den Feuerschlünden der Abschiedsgruß den Fliehen= den. Was nicht die Boote erreicht, geht elendiglich im Wasser zugrunde, oder gibt sich in die Hände der siegreichen Türken. Das Feuer der großen Panzer ist schon lange eingestellt — die Mannschaft hat genug mit der Rettung ihrer eigenen Leute zu tun. Noch einmal ziehen ein paar Brandgranaten durch den hellen Tag gen Troja herüber. So deckt der Feind seinen Ab= zug von der Schwelle Kleinasiens, über der fröhlich Stern und Halbmond im frischen Winde flattern. — — —

* * *

Die denkwürdigen Apriltage endeten mit einem vollständigen Sieg der türkischen Waffen. Zwar war es dem Feinde geglückt, unter dem Schutze seines schweren Geschützes, auf Gallipoli Truppen zu landen, die sich bei Seddil Bahr, Ari Burnu und Kaba Tepe in starken Verschanzungen mühsam behaupteten, doch konnte er an ein Vorrücken nicht denken. Zehntausend Tote zählte man in den ersten Kampftagen auf der Halbinsel, und ihre Zahl war bei weitem unterschätzt. Auf den Inseln des Ägäischen Meeres und in Ägypten füllten sich die Lazarette mit schwerverwundeten Australiern, Schwarzen, Engländern und Franzosen, die auf dem heißumstrittenen Boden Gallipolis die Kugel des Gegners niedergeworfen hatte. Sultan Moham= med V. aber nahm den Titel „Ghazi", der „Siegreiche" an.

Sechstes Kapitel.

Dort wo das stattliche Dorf Krithia einst wie rosiger Marmor über das Land grüßte, liegt heute nur ein wüster Trümmerhaufen. Seine Bewohner sind entflohen — wer weiß wohin — auf elendem Ochsengefährt trugen sie die wenige Habe nach Norden — immer weiter — weiter. Granaten kamen und sangen ihnen das Morgengebet — Granaten stießen sie aus ruhelosem Schlafe. Die Flucht mit ihren unendlichen Schrecken haben sie kennen gelernt — über die lange, schmale Landzunge hinweg — von West und Ost in einen Feuerkessel gedrängt. Armes Volk. Den Säugling an der Mutterbrust hat das blinde Schicksal zerschlagen mit dem lebenssatten Greise. Wohin sie zogen — Ruinen — Feuergarben — Jammer, Kummer und Elend. Über Krithia sind die Brandbomben gesät wie ein teuflischer Same. Pfadlos das Land — nur Loch an Loch die gigantischen Einschlagtrichter der Riesengeschosse. Das Todestal. — — — Mild streicht der Odem zweier Meere über die

Mulde, als wolle er die ewige Natur zu neuem, schönen Leben
erwecken. Noch steht kein Feind auf Krithias Boden. Vor
seinen zerschossenen Toren schanzt und wühlt das Heer der
Völker, treibt Gänge in das steinige Erdreich, zimmert Ver=
haue, türmt die Sendlinge seiner Vernichtungsmaschinen zu
Hauf in der armen, vernichteten Gemeinde, aber wagt nicht
mit stürmender Hand den letzten, traurigen Rest dieses heiß=
begehrten Landes zu fassen.

Hoch über dem alten Krithia, da hält ein treuer Kämpe die
Wacht — da blickt der Achi=Baba wie ein blitzeschleudernder
Gott auf das Gewühl zu seinen Füßen. Da liegen die Türken,
und Graben um Graben zieht sich hinauf, hinunter um den
Abhang des stolzen Hügels. Hier stehen die Geschütze, die vor=
sorgliche Erkenntnis von den Wällen der Hadriansstadt in mühe=
voller Arbeit hierhergeschleppt hat — hier liegt die Elite os=
manischer Truppen — es gilt! — — —

Zwei mächtigen Panzerarmen gleich dehnt der Achi Baba
seine Hügelketten nach Ost und West, beide durch die Kunst der
Ingenieure ein paar Hochfesten wie er. Von den Dardanellen
bis nahe an die Ägeis zieht sich das gewaltige Massiv, eine
einzige natürliche Festung, durch Menschenhand ein schier un=
einnehmbares Bollwerk geworden. Tief in den grauen Kalk
sind die Schützengräben geschnitten — hoch auf ragt die starke
Brüstung und deckt mit Kalk und Erde die bombensicheren
Schützenstände. Keine Veränderung ist an dem Gelände wahr=
zunehmen — ebenmäßig wie zuvor scheint der Hügel aufzu=
steigen. Nur hier und da ein Drahthindernis, daß den Weg
oder den steil ansteigenden Pfad sperrt — sonst nichts. Wie
ausgestorben liegt die Hügelkette da. Vergebens gleitet das
Prismenglas der englischen Offiziere über das tote Erdreich —

nirgends will sich ein Geschütz — nirgends der armselige Lauf
eines voreiligen Gewehres zeigen. Und doch ist Leben in dem
Berge — und doch strecken sich viel todbringende Läufe, sorgsam
auf Schilf oder Gras gebettet, unter dichter Kalkdecke dem
Feinde entgegen. Selbst die schwere Artillerie steht gegen
Fliegersicht geborgen, in fester Deckung. Nur wem es gelänge,
nahe genug an die Feuerschlünde des Achi Baba heranzu-
kommen, der würde mit einem guten Stecher hin und wieder
viereckige Scharten gewahren, aus denen ein kleines vorwitziges
Spiegelchen listig ins Tal blickt. Es sind die Augen des Hügels,
die sorgsam über die feindlichen Linien hingleiten und jede
Bewegung in sich aufnehmen. Hier stehen die Wachen, regungslos, stundenlang und schauen und schauen — das Auge unver-
wandt dem Feinde zugekehrt, die Hand am Fernsprecher, um
vielleicht im nächsten Augenblicke die ganze Festung zu alar-
mieren.

Tagelang hat hier Ruhe geherrscht. Die Engländer sind
aus ihren Schützengräben, die sich von Ari Burun über die
Straße nach Sebdil Bahr erstrecken, kaum herausgekommen.
Das ewige Einerlei des Dienstes ermüdet. Ermunternd geht
der junge Oberleutnant Nourebbin, den seit wenigen Tagen
das Eiserne Kreuz ziert, durch die Stellungen. Häufiger denn
sonst blickt er durch das Spiegelglas. Aus den Dardanellen
und vom Golf von Saros wird der Aufmarsch größerer feind-
licher Einheiten gemeldet. Das ist kein gutes Zeichen. „Wir
werden bald Arbeit bekommen", wendet er sich an seine Kompagnie, die heute statt der gewohnten Geschütze, mit Maschinengewehren in vorgeschobener Stellung liegt. „Wie Allah es
will!" tönt es ihm als Antwort entgegen. — Es ist die einzige
Entgegnung, die der tapfere türkische Soldat auf alle Fragen

immer wieder hat. Und vielleicht ist es gut so. „Wie Allah es
will!" — in diesem Sinne wissen sie zu kämpfen und zu siegen
für ihren Gott und die heiligen Stätten seiner Verehrung.

Schon nähert sich der glühende Sonnenball dem Zenit, da
wird es lebendig im Lager der Feinde. Lang dehnt sich die
Kette der Völker. Der Generalsturm steht bevor. Die tapferen
Verteidiger sind auf ihren Posten. Genau wie das Uhrwerk
werden ihre Salven ins Tal fahren, wenn ihre Zeit gekommen.
Noch gebietet die Ruhe, die furchtbare Ruhe, die schlimmer ist,
nervenzerrüttender als das Getöse der mordenden Schlacht.
Man fühlt die Aufregung — Mann für Mann, man sieht das
Zucken der bärtigen Gesichter. Unheilschwanger, wie stickig
liegt die Luft über den Unterständen — selbst das Klopfen der
Herzen meint man zu spüren. Es ist das Ungeahnte, Unge-
wisse, das sich so tief in die Seelen der Menschen prägt, das
Wahnwitz zu erzeugen vermag, und das davonfliegt, wie lustiges
Koboldgevölk, wenn die tiefen Orgeltöne der schweren Geschütze mächtig brausend über das Laub ziehen, und das Feuer
der eigenen Waffen ermunternd ans Ohr schlägt.

Heulend fauchen die ersten Schrapnellsalven heran und streuen
ihren Eisenregen auf den Ostarm des Achi Baba. Bald schimmern hundert schwarz-weiße Wölkchen über der grau ins Licht
ragenden Höhe und immer mehr kommen und gehen. Bei
Seddil Bahr steht die französische Artillerie und belegt jeden
Fuß Bodens um ihn sturmreif zu machen. Der Berg rührt sich
nicht. Flieger knattern heran und streichen ohne Feuer zu bekommen wieder ab. Ist denn da oben alles tot? Von der See
her donnert das schwere Schiffsgeschütz im Steilschuß auf den
nahen Höhenzug. Die ganze Halbinsel, soweit der Blick um-
herschweift, ist in ein einziges, unendliches Feuermeer getaucht.

Die glühende Luft scheint zu brennen und ein Gluthauch wie
aus einer Unzahl arbeitender Hochöfen, legt sich dörrend und
sengend über das elende Land. Ist es denn möglich, daß Menschen in dieser Hölle ausharren? Stumm liegt der Achi Baba
inmitten des Vernichtungswerkes. Sein Leben scheint erloschen.
Da wird die Arbeit den Stürmern leicht. Blauröckige Senegalneger springen auf, ragende Ghurkas schwingen ihre Waffen
in wildem Kampfgeschrei — Engländer, Australier, Schotten,
Sikhs, Franzosen, Algerier, Zuaven, ein wüstes Rassengemisch,
aufgepeitscht zu wilder Raserei, wälzt sich gegen den Achi Baba.
Der liegt noch immer in seiner gewohnten Ruhe, als wenn er
die Granaten verachte, die unaufhörlich tiefe Risse und Sprünge
in seinen schwieligen Rücken reißen.

Die Verteidiger sind bereit. Schon nähern sich die vorderen Linien der Stürmenden den ersten Drahtverhauen —
die Scheren klappen ein, um sich knirschend durch das stach-
liche Eisen zu fressen — — da schrillt es drinnen im Berg,
wie von hundert zerspringenden Glocken. — „Achtung!" Die
Geschütze sind ausgerichtet — die Gewehrläufe eingestellt —
jedermann ist fertig. Und noch einmal derselbe unheimlich
schrillende Ton und — aus tausend Feuermündern fährt der
Tod ins Tal. Schwarz wie die Wolke des kommenden Wetters
lagert dichter Pulverdampf über den unsichtbaren Werken.
Wieder zuckt der Strahl und wieder birst die Luft in furchtbarem Getöse. Hingesät liegen die Leiber der Angreifer —
wie die Sichel des knöchernen Sensenmannes sie geschnitten.
Die Erde ist zerwühlt von der Eisenflut aus tausend Feuerschlünden — und über dem klaffenden Erdreich zucken die
Leiber der Sterbenden — rinnt das Blut der in Höllenglut
Verschmachtenden. Die Völker fluten zurück — aber der un-

erbittliche Befehl reißt sie aufs neue vorwärts. In breiter
Phalanx stürmen die Neuseeländer heran, mutige Kerle, die
den Tod nicht fürchten. Doch auch sie müssen zurück und ehe
der Tag sich neigt, ruht die zerschellte Erde von der Ver=
nichtungsarbeit.

Ambulanzen ziehen durch den sinkenden Abend — hin und
her flimmern die Lichter der stillen Tröster. Das Stöhnen der
Verwundeten verhallt — nur ab und zu noch klingt ein langer
klagender Ruf durch die ungewohnte Stille — dann deckt die
Nacht ihren schwarzen Schleier über das Schlachtfeld. Der Achi
Baba aber blickt trotzig wie zuvor über die weite blutgetränkte
Ebene.

Oberleutnant Noureddin liegt zwischen den Ruinen von
Krithia auf Feldwache. Das Fort hat seine Fühler weit vor=
gestreckt, um am Feinde zu bleiben. Stundenlang noch hat die
müde Besatzung gearbeitet um die verwüsteten Fernleitungen
wieder herzustellen — nun deckt tiefer Schlaf die Augen der
Tapferen. Rings um die Feste dehnt sich die lange Posten=
kette. Auch Noureddin hat seine Unteroffizierposten verteilt,
immer sieben Mann zusammen — die einsame Doppelwacht
ist in dem unübersichtlichen Gelände den feindlichen Spähern
auf Gnade und Ungnade ausgeliefert. Da steht so ein verlorner
Doppelposten auf 500—600 Meter von der Feldwache und lugt
in das undurchdringliche Dunkel. Die Träume kommen und
gehen, die Schrecknisse der Nacht fallen in die irrenden Ge=
danken. Knackt dort nicht ein dürrer Zweig — funkeln nicht
hinter jener Erdwelle die blitzenden Augen eines Schwarzen?
Nur ruhig — nur ruhig! Ungebärdig schießt das kreisende Blut
zum Herzen — die Pulse hämmern — und dann — ein röcheln=
des, kurzes Doppelstöhnen und der einsame Posten liegt er=

würgt am Boden. Über ihm aber funkeln die Tigeraugen einer
Handvoll sich duckender Spahis. Solche Gedanken durchjagen
das Hirn des wachhabenden Offiziers, wenn er ruhelos und
abgespannt in die monotone, schwarze Einsamkeit blickt.

Ab und zu zerreißt ein greller Lichtkegel die drückende Finster=
nis, wandert dahin und dorthin — taucht zerbröckelte Bauten
in weißes Licht — schrumpft zusammen und verschwindet. In
jenen Momenten blickt der Oberleutnant scharf aus nach seinen
Posten, und ein Zug der Befriedigung geht über sein junges
Gesicht, wenn er den einen oder den anderen auf stiller, treuer
Wacht vor dem Feinde erblickt. Langsam schleichen die Stunden.
Von der Maidosstraße schallt zuweilen dumpfer Hufetritt —
tiefes Dröhnen herüber. Es ist auffahrende, schwere Artillerie,
die in Stellung geht. Wohin? Wer weiß es. Unaufhörlich
kreisen am Tage die feindlichen Flieger über den türkischen
Befestigungen um aufzuklären. Kein Blitzstrahl verrät die
Deckung der wertvollen Geschütze. Wird jedoch die Not der
eigenen Truppen groß — dann funken sie hinüber gegen den
Feind — dann johlen und fauchen die türkischen Granaten —
bis ein neuer Kundschafter hoch in der Luft sich zeigt und ihr
Feuer verstummen macht. Jede Nacht aber gehen die Batterien
in andere längst vorbereitete Stellungen und überlassen die
alten der Zerstörungswut der englischen Schiffsgeschütze.

Schon streicht das Frühlicht über die Wellenkämme der
Ägeis, als sich die Feldwachen zurückziehen. Der neue Tag bricht
an und mit ihm der neue Kampf. Wieder rennen die Truppen
der Verbündeten gegen das starke Bollwerk und wieder treibt
sie der glühende Atem seiner Feuerschlünde in die Gräben zu=
rück. So zieht der dritte Tag herauf. Er muß die Entscheidung
bringen. Das Feuer der ganzen feindlichen Artillerie liegt auf

dem Achi Baba. Das kracht und lacht in toller Wahnsinnslust, als ob die Hölle losgelassen wäre.

Der junge Oberleutnant Noureddin steht unten im vordersten Schützengraben. Nun kraucht es heran, immer schneller, immer schneller. Die Maschinengewehre mähen in die buntscheckigen Knäuel — hui — hüiii — hui pfeifen die Schrapnells — umsonst — die Massen dehnen sich, strecken sich, schließen sich und kommen vorwärts. In endlosen Reihen ziehen die Sturmkolonnen über das Land. Jetzt tanchen sie vor den Ruinen des zerschossenen Dorfes auf — und jetzt — und jetzt — rattata — rattata — rattata — ta läuft das Maschinengewehr in rasender Eile. Schon zielt die Mannschaft nicht mehr — das kurze Messer fest umkrallt, erwartet sie den Feind. Rattata — rattata — hui — hui — rattata. — Ein furchtbares Brüllen wie aus zahllosen heisern, wutstickenden Kehlen brandet in den Graben. Sekundenlange Stille. — Verzerrte Gesichter — zuckende Dolche — blöde Augen — Schrei und Not — Todesstöhnen und Stille. — Wie ein reißender Gießbach ist der Feind in den Graben geflutet — neues Volk stürzt nach. Die Verteidiger sind zu schwach. Wer nicht dort unten liegt, der ist zurückgesprungen in den zweiten Graben oder sucht auf Händen und Beinen kriechend die höher gelegenen Schanzwerke zu erreichen. „Mir nach", brüllt der Oberleutnant mit vor Anstrengung überschlagender Stimme. Doch der Hall seiner Worte verfängt sich in dem wilden Getöse — heftig weist er mit den Armen die Richtung. Nur wenige können ihm folgen. Hui — hui pfeifen die Schrapnells in den vordersten Graben. — Heulend vor wilder Verzweiflung brechen die Feinde heraus — den Wall empor. Ein paar Bajonette blitzen kurz vor dem Offizier auf — ein paar braune Gestalten springen hinzu. „Hands off!" brüllt ein baumlanger

Australier. Wie rasend schlägt der kleine Trupp um sich. Was
fällt — fällt. Die Erde wird glitschig von dem Blut der Getroffenen. Noureddin schlägt sein Pistol an — einmal, zweimal,
dreimal brennt der Schuß gegen die harten Schädel. Sie
brechen durch — erreichen den Rand des zweiten Grabens.
Doch auch hier steht schon der Feind. Aus der Flanke sind
französische Kolonialtruppen herangekommen. Das Pistol
fliegt dem nächsten an den Kopf, die braven Anatolier hauen
mit dem Kolben drein. Immer dichter wird der Knäuel, unaufhaltsam schwillt die Zahl der Feinde — Noureddin hat den
Säbel aus der Scheide gerissen und schlägt wie ein Wilder
um sich. Er stürzt zu Boden, richtet sich wieder auf — heiß
läuft es ihm über den linken Arm — was tut's — und abermals
brüllt er „mir nach!" Wieder kommen sie durch. Hinter ihnen
her pfeifen die Kugeln — mancher schlägt im tollen Lauf lautlos
nieder — aber die wenigen kommen vorwärts und erreichen
den schützenden Wall.

Schon wälzt sich die wilde Jagd heran. Noureddin ent-
reißt einem der Gefallenen die noch rauchende Büchse und
steckt sie zwischen zwei, drei andern durch die schmale Schieß-
scharte. „Nur nicht denken, nur nicht denken", murmelt er
und brennt Schuß auf Schuß gegen die Angreifer. Kalt
schießt es ihm zuweilen über das Gesicht, so daß er meint
ohnmächtig hinschlagen zu müssen — doch er harrt aus und zielt.
Der Tod trifft überall. Den einen ereilt er im wilden Ansturm
— die Arme hoch — in die Knie gesunken, scheint er einen Augenblick wie um Gnade zu flehen — dann sinkt er zuckend zu Boden
— der andere schiebt sich in letzter Qual über die furchtbare
Walstatt, nach Deckung suchend, bis er müde zusammenbricht.
— Wieder andere hocken in stummer Agonie, das brechende

Auge in stiller Ergebung den Todesschlünden zugekehrt — dort zieht einer torkelnd und singend zwischen den Leichenhügeln — der Schrecken hat ihn irre gemacht. — — Nur nicht denken — nur nicht denken! Schuß auf Schuß — Schuß auf Schuß. — Von der Höhe pfeffert die Artillerie ganze Salven in den dichten Schwarm der Angreifer. Der Boden zittert — schon schreit eine nahe helle Stimme „sauve qui peut" —da fährt ein Messerstich ihr durch die Gurgel. „En avant — en avant!" Wieder wächst die Zahl der Stürmer — unaufhörlich, überall tauchen die schwarzen Gestalten mit den fletschenden weißen Zähnen und den gedunsenen Lippen auf. — Die Menge schnellt empor — wird übermächtig. „Zurück!" — Der Leutnant springt in den Lausgraben, ihm nach 10, 15 Mann. Jetzt sind sie schon in ziemlicher Höhe über dem flachen Angriffsgelände. Der Graben ist leer — nur vom andern Ende kriechen vier, fünf Mann hervor, das schwere Maschinengeschütz zwischen sich. „Bravo Leute — hier bleiben — dort hinunter." Im Handumdrehen ist das Gewehr aufgestellt und eingerichtet. — „Dort auf die vordersten — rote Hosen — Reihenfeuer." „Famos Richtschütze!" Mitten in dem blauroten Gewirr spritzt der Staub. Dauer= feuer — das schafft. Wie von der Windsbraut gepackt stürzen die Franzosen zu Boden — dutzendweise liegen sie in den ein= geebneten Gräben. Das gab Luft. Einen Augenblick scheint die Sturmflut zu stocken — einen Augenblick kann das gehetzte Wild sich Ruhe gönnen — doch nur einen Augenblick — dann wälzt sich der Strom der Angreifer von neuem heran.

Aus dem Hauptkampfgraben, der nur wenige 20 Meter höher liegt, winkt und schreit jemand. Was hat das zu bedeuten? „Zurück!" Tief gegen den zerwühlten Boden geduckt, jagt der junge Offizier mit seinen Getreuen davon. Unmerklich klimmen sie

höher — abermals eine verlassene Stellung — das Ausfalltor weit
offen. Dort hinein. — Nun sind sie am Hauptgraben. Noureddin
wendet sich um — da kriechen schon die schwarzen Katzen heran —
die Erde scheint sie manchmal einzuschlucken und wieder auszuspeien. Im Laufgraben wogt die wilde Horde. „En avant
— en avant.“ — Ein dumpfer, ohrenbetäubender Schlag, und
noch einer. Die Erde wellt sich als ob sie zittre — Steine und
Sand schwirren in dicker, schwarzer Wolke durch die Luft —
und als sich der schwere Rauch verzieht, ist der Laufgraben
verschwunden — an seiner Stelle aber decken vielhundert
Leichen den zersprengten Boden.

Huno, huuo sanft das schwere Schrapnell. Halbpfündige
Bleikugeln prasseln auf die dicke Erddeckung und schlagen
in den schützenden Beton. Die großen Panzer sprechen
wieder ihr gewichtiges Wort. An den Scharten steht die
Mannschaft und pfeffert Schnellfeuer in die herankriechen-
den Sturmkolonnen. Zu ganzen Haufen liegen die Pa-
tronen herum. Immer mehr nähert sich das blaurote Band.
Man meint das Knacken der Schädel zu hören, wenn das Spitz-
geschoß in die schwarze Hirnschale schlägt. Nun setzen sie drüben
an zu neuem, zu entscheidendem Sturmlauf. Man sieht die
Offiziere sich erheben. Mancher freilich bricht eben so schnell,
wie er auf die Füße gekommen ist, wieder zusammen. Die
türkischen Scharfschützen zielen gut. „En avant mes braves!
en avant!“ Mit vorgehaltenem Bajonett erwartet die tapfere
Besatzung den Feind. Und wieder dies heisere Heulen, als ob
eine Herde blutrünstiger Schakale losgelassen wäre und wieder
die Verzweiflungsschreie der Stürzenden. —

Klatschend, wie die überschlagende Woge, fällt die fürchterliche
Masse ein. Immer mehr — immer mehr. Knirschende, wutschäu-

mende Münder — Krallen und Beißen. Die langen Seiten-
gewehre der Verteidiger bohren wie Bratspieße in das dunkelhäutige Chaos. Überall hängen und kleben die Feinde. Australier,
Neuseeländer, Gurkhas. Der Graben ist vollgepfropft mit Toten
und Verwundeten. Die langen Messer fliegen aus den Taschen.
Handgemenge, Ringen und Raufen. Der Kampfplatz wird zu
eng. Da ist kein Rücken und Rühren. Die Kolonnen stocken. Von
oben her streuen die Maschinengewehre Tod und Verderben
auf das Vorgelände. Noureddin ist auf die Brüstung gesprungen.
Zwei, drei der Seinen stehen neben ihm. Mit dem Kolben
schlagen sie auf die Köpfe der Angreifer, so daß Blut und Hirn
zugleich hervorspringen. Der Feind ist eingeschlossen — es
gibt kein Zurück — aus der Nachbarstellung kommt Hilfe . . .
„Pardon camarades" — es gibt keinen Pardon. Das Heulen
erstickt und entsetzliches Winseln tritt an seine Stelle. Noch
immer steht Noureddin auf dem hohen Wall und schmettert
seine Kolbenschläge hinab. Er ist allein, die Kameraden mögen
drunten taumeln in dem schrecklichen Morden, oder zu Boden
gestreckt unter den Leichenhügeln liegen.

Pss — Pss — Pss — pfeift es heran — Gewehrfeuer, und nochmals Ps — Ps — Ps. Weit — weit lösen sich ein paar dunkelhäutige
Gestalten los — dem Oberleutnant will es scheinen, als kämen sie
näher — schnell näher — er faßt nach dem Degenknauf. Ps — Ps
macht es wieder — jetzt aus entgegengesetzter Richtung. Noureddin wendet sich um — da schlägt ihm etwas hartes, unsagbar
hartes gegen den Hinterkopf — ihm flimmerts vor den Augen —
die tote, schwarze, endlose Mauer will ihn erdrücken. Da duckt er
sich nieder — kalter Schweiß bricht aus den Poren — er will
stöhnen, er kann nicht — er will rufen, schreien, winken, daß
man ihn findet — es geht nicht — besinnungslos sinkt er vorn-

über — die Hände krallen ſich in das loďere Erdreich. Droben
aus der Stellung aber fahren ein paar Scharfſchüßen den davon=
ſpringenden Geſtalten ſorgſam nach. „Einen Fuß vorhalten!"
kommandiert der eine, und Pſ — Pſ — ſſſſſ — ſauſt die Salve
hinab. Im Purzelbaum, wie ein ins Feuer laufender Haſe,
ſchießen die Blaujaďen ins Tal.

Vom Barbaroß Hairedin klingt der monotone Sang der ſchwe=
ren Achtundzwanziger herüber. Der Achi Baba und ſeine Feſten
rechts und links fallen ein. Wieder breitet ſich ein Flammenmeer
über das todgeweihte Land. Da gibt es kein Halten mehr in den
Reihen der Angreifer. Wie von Furien gepeitſcht — unabläſſig
ſluten ſie zurüď — den ſchüßenden Gräben entgegen. Es iſt kein
Weichen mehr — es iſt Flucht, die regelloſe Flucht, die alles mit ſich
reißt, und den zu Boden tritt, der ſich ihr entgegenſeßt. Das Wort
der Offiziere geht unter in dem allgemeinen Tumult — jeder
kennt nur einen Gedanken, nur ein Ziel — die eigene Rettung.
Das ſchiebt und drängt, das ſtößt und irrt wie eine von wilden
Hunden geheßte Herde. Alle Manneszucht iſt verſchwunden.
Zuweilen ballt ſich die Maſſe im wahnwißigen Rennen zu
dichten Haufen zuſammen. Dann fahren kleine weiße Wölkchen
über ſie hin und der Todesregen tropft aus ihnen herab. Die
Nacht aber ſieht zum dritten Male die winzigen Irrlichter, die
haſtig über den zerfurchten Kampfplaß gleiten — hierhin und
dorthin, wo die Sichel des knöchernen Schnitters durch blühendes
Leben gefahren iſt.

Siebentes Kapitel

Tritt für Tritt und Schritt auf Schritt ziehen lange Wagen=
reihen auf der Straße nach Maidos dahin. Dazwischen
schwankt das schwere Kamel mit seiner hängenden Last. Stöhnen
bringt herüber aus dem traurigen Zuge — zuweilen ein Bitten.
Ein paar Sanitäter springen hinzu — der Arzt reitet heran —
ein Kopfschütteln — weiter. Es ist als ob sich endlos die Straße
dehne. Müde Schwermut lastet auf allen Gesichtern. Der Weg
ist steinig, zerwühlt von schneidender Radspur, häufig von
Hindernissen unterbrochen. Stolpernd schieben sich die Zug=
tiere vorwärts. Manchmal neigen die Wagen scharf nach der
Seite, knirschend mahlen die Räder durch den nassen Sand —
dann wieder springt das Gefährt über holprigen Fels, daß die
Achsen knacken und krachen, und jedesmal bringt ein Stöhnen
aus den Planen. Entsetzliche Qual für die Verwundeten. In
solchen Momenten rufen wohl zwanzig, dreißig Stimmen zu=
gleich „Wasser!" und kühlen gierig den brennenden Schlund mit

dem erquickenden Labsal. Offiziere, die im Auto vorbeisausen, mäßigen unwillkürlich das Tempo und legen die Hand salutierend an den Emperial, wenn sie der Fahne des Roten Halbmondes begegnen.

In einem der ersten Wagen kniet ein noch knabenhafter Sanitäter neben einem schwerverwundeten Offizier. Er hat seinen Fez mit kaltem Wasser gefüllt und drückt ihn unablässig dem Fiebernden auf Stirn und Scheitel. Der liegt, den zerschossenen Hinterkopf von dicken Binden umhüllt, auf denen rote Flecken groß und größer werdend sich zirkeln, in krampfhaftem Zucken auf dem harten Stroh. Und während seine Augen in glasiger Irre auf den halbgeöffneten Plan starren, klappt der zuckende Mund auf ein Wattestückchen, das der treue Sanitäter ihm zwischen die Zähne geschoben hat. Dann streckt sich wohl der zitternde Körper wie zum letzten, zum Todeskampfe — dann gräbt sich wohl das schöne Gebiß des jungen Leutnants tief in das weiche Holz. Dem Knaben wird Angst — er möchte es hinausschreien, sein Weh und das seines Schützlings — aber er wankt nicht. Er springt vom Wagen und füllt mit neuem kalten Naß den durchweichten Turban. Er fühlt den Puls — Allah sei Dank — er schlägt — er streicht mit kühler Hand über die klebrige Stirn und glättet die wirren Haare. Und der Tod geht vorüber. Der junge Oberleutnant Nureddin lebt.

*   *   *

Durch das Milchglasdach des großen Operationsraumes fällt helles Licht. Brütend lastet die Sonne über dem heißen Tag. Hier drinnen aber ist es kühl — wohlig streicht gekältete Luft durch den Saal und fächelnd surren die Ventilatoren. Der deutsche Professor steht mit seinen türkischen Assistenten in eif=

rigem Gespräch neben dem glänzend blanken Operationstisch.
Gerüchte laufen um, daß abermals ein großer englischer Panzer
vor den Dardanellen versenkt ist. Über die Gesichter der Türken
geht ein Leuchten. Inschallah! — daß Gott es gäbe! Die
Schwestern treffen die letzten Vorbereitungen. „Bitte Knochen-
brett“, ruft mit gedämpfter Stimme die instrumentierende
schlanke, blonde, deutsche Schwester ihrer schwarzhaarigen musel-
männischen Kollegin zu. Diese gibt den Auftrag weiter. In
der Küche wallt noch einmal das Glutwasser über die blitzenden
Instrumente — dann stehen sie neben dem schrecklichen Tisch,
der doch den meisten, die auf ihm gelegen, so viel Segen gebracht hat.

Aus weißem Leinen heben geschickte Hände den fieberzer-
rütteten Körper des Oberleutnants Noureddin. Der narko-
tisierende Arzt zuckt bedenklich die Achseln, wird er die Operation
überstehen — wird er das Schlafgemisch vertragen? Sie alle
haben ihn lieb gewonnen, den jungen Dulder, der nun seit fast
zwei Wochen hier liegt, und der in seinen lichten Augenblicken
so dankerfüllte Blicke zu seinen Pflegern hinüberschicken kann.
„Für alle Fälle machen Sie den Sauerstoffapparat fertig“ —
flüstert er der Dienstschwester zu.

Mühsam bettet man den Schwerkranken auf den Operationstisch. Ein paar kräftige Arme schieben sich stützend unter das
todwunde Haupt. Gedunsen, gerötet liegt der glattrasierte
Hinterkopf vor dem Operateur — ein winziger kleiner Schuß-
kanal zeigt die Stelle, wo das spitzige Blei hineinfuhr.
„Schumburg! Jod!“ Vier, fünf Hände greifen zugleich nach
dem Verlangten. „Messer!“ Knirschend fährt der schneidende
Stahl durch die harte Schädelhaut, und noch einmal. Hochauf spritzt das Blut aus nadelkopffeinen Gefäßen. „Unter-

bindung!" Ein, zwei, drei rippige Pinzetten drosseln zugleich
die zuckenden Aderchen. „Scharfe Haken!" Breit klafft der
Schnitt. „Tupfer!" — Die sangen das schießende Blut und lassen
das weiße Schädelbein gespenstig hervortreten. Ein langer
dunkler Streif zeichnet die Stelle, wo das aufschlagende Geschoß krepiert und in weitem Streuungskegel splitterförmig
durch den Knochen gedrungen ist. „Dumdum!" murmelt der
Chirurg unwillig. „Meißel!" Dröhnend fährt das scharfe
Werkzeug in die harte Schädelkapsel. Ein paar Knochenstücke
lösen sich ab. Sorgsam hält die Schwester sie in warmer Salz-
lösung — daß die Lebenskraft erhalten bleibe. Noch immer
klingt der Meißel über die hohle Hirnschale. Jetzt liegt das Ge-
hirn frei. Vorsichtig tastend gleitet der Finger des Operateurs
durch die offene Decke. Er sucht — sucht hierhin und dorthin —
windet sich hinauf, hinunter. — Da! „Kornzange!" Ein paarmal taucht das Instrument hinab und trägt feste Klumpen
zerronnenen Blutes zutage. Schnell fahren die Finger der
Assistenten darüber hin. Die schlammige Masse zerdrückt sich —
nichts! Wieder taucht die Kornzange. Blutig kehrt sie zurück.
Etwas Hartes, Eckiges, Scharfes liegt zwischen dem Gerinsel —
ein Bleisplitter und noch einer. Oft noch fährt die Zange hinein
und jedesmal kehrt sie mit ein paar Splitterchen wieder, und
jedesmal huscht es freudig über die Gesichter der Ärzte. Noch
ist Rettung möglich. Die Hirnhaut hat das Schlimmste ver-
hütet. Schürfend schrapt das Rasparatorium über die Schädel-
decke, überall die Haut lösend, um nach neuen Wunden, nach
frischen Eiterherden zu suchen. Gott sei Dank, es ist nichts. Wie
durch ein Wunder ist der Patient vor der Lähmung, wenn nicht
vor dem Schrecklicheren — dem Irrsinn bewahrt worden. Mühsam schlägt die Atemluft des Kranken gegen die Maske. Er

hat viel Blut verloren — doch es geht. Langsam zerkleinert
der Chirurg die abgemeißelten Schädelteilchen — und nun
setzt er sie zusammen in das Knochenloch — eins an das andere,
wie ein feines Mosaik. Es ist Präzisionsarbeit. Ein Kreis von
Ärzten hat sich mählich um den berühmten Operateur geschart
— er achtet ihrer nicht. Seine ganze Aufmerksamkeit gilt jetzt
dem armen Menschenleben, das er retten will mit all seiner
Kunst, das er dem Tod entreißen will mit der ganzen Kraft
seines Genius. Noch einmal fährt das Messer ins lebende
Fleisch. Ein Handteller großes Stück Muskel löst es aus dem
Oberschenkel. Das legt er behutsam über die weiße Knorpel=
füllung, auf daß es sie nähre und in neuem Wachstum erhalte.
Dann schließt sich die feste Schädelhaut über dem frischen Schnitt.
Starke Männerfäuste, die doch so zart zu fassen vermögen, wie
sammetweiche Frauenhände, heben den Bewußtlosen empor
und fahren ihn hinüber zu reinlicher Bettstatt, wo schon ein
barmherziges Weißhäubchen mit gütigen lieben Zügen des
Hilflosen harrt.   *   *   *

Noureddin ist genesen. Über Erwarten gut ist die Heilung
vonstatten gegangen. Nur eine große, rote Narbe noch zeichnet
die Stelle, an der einst das tückische Geschoß in die Schädel=
decke gefahren ist. Auch das arme zermarterte Hirn ist wieder
ruhig geworden — aus dem jungen lebensprühenden Drauf=
gänger und Offizier aber hat sich ein sanfter, oft schwermuts=
voller Träumer entwickelt, der viel eher zum Dichten und Sinnen,
denn zum rauhen Kriegshandwerk zu taugen scheint. Und für=
wahr, welch Stückchen Erde ist wohl geeigneter zum Denken
und Träumen als der Hügel des alten Serai, von dessem präch=
tigen Genesungsheim der Blick fern über den Bosporus gegen

die blaue Marmara hinschweift. Zu Füßen die Khalifenstadt,
zu Füßen das Goldene Horn, Pera und Galata, gleitet das
entzückte Auge über die wellengebadeten Ufer Kleinasiens,
nach Skutari und weiter hinab nach Kadiköi, dem uralten Kal-
chedon der Athener.

Stundenlang sieht man an schönen Tagen die überschlanke
Gestalt des Genesenden durch die grüne Flur wandeln.
Den Kopf sanft geneigt, den Körper leicht auf den Stock
gestützt, geht er langsam dahin, vorbei an der ragenden Ko-
rinthersäule des zweiten Claudius, vorbei an dem schönen
Marmorpavillon Abdul Meschids, wo die prächtigen Gärten
des einstigen Großherrn sich öffnen. Dann läßt er sich wohl
auf den Stufen der Terrasse nieder — Gedanken kommen und
gehen, Geschichten aus Urväters Zeiten dämmern herauf —
spinnennetzfein webt die Zeit — Bild reiht sich an Bild.

Hier lag vor Jahrhunderten die Residenz der großen Kha-
lifen. Aus dem azurblauen Meere stieg einem Phönix gleich,
der waldige Hügel zum Himmel. Weiße Fußpfade, über die
das schlanke Füßchen der Schönen so leicht glitt, wie der schlei-
chende Gang der Stummen, schnitten überall ins üppige Grün.
Blumenbeete in allen Farben, der süße berauschende Duft der
Rosen, die vom leuchtenden Gelb, klar wie der Sonnenball, bis
ins tiefste Rot, wie des Rubins edelstes Feuer, in alle Schattierungen hinüberspielten, legte sich kosend über den lächelnden
Hain. Und aus dem leis sich wiegenden Gewölbe der Blätter
und Lauben tauchen bunt bemalte Dächer, taucht die Pracht
goldübergossener Terrassen, tauchen halbmondgekrönte Kioske
und schlanke Minaretts ins helle Licht. Den Glanz des ewig
lachenden Himmels spiegelt der regungslose See. Wildtauben
flattern auf, und ein Trillern und Jubilieren geht durch die

paradiesische Landschaft. Kein Schuß darf hier gelöst, kein Netz
gespannt werden — das Krummschwert des Padischah liegt
schützend über der Natur. — — — Wieder wie einst öffnet sich
das Tor des Heils. Gemessenen Schrittes schreiten die hohen
Würdenträger hindurch, die Richter der heiligen Stätten,
die Emirs, die Wesiere, die Mollahs, die Ulemas, die Generale
der Armee, der Obersteunuch — ein prächtiges Bild. Der ganze
Prunk des prachttrunkenen Orients scheint über ihre Gewänder
ausgegossen — so wähnt der Staubgeborene die glücklichsten
der Sterblichen einherwandeln zu sehen — und doch wie nichtig
jene Großen, wie gering ihre Macht vor der Allgewalt des
Großherrn. Unter der Pforte des Heils dunkeln die finsteren
Zellen der Henker und wehe dem Großen, den der Unwille
des Sultans trifft, zwischen Tür und Angel wird der verborgene
Stahl herniederfahren und sein abgeschlagenes Haupt über den
frischen Sand springen.

Ein weites arkadenumfaßtes Viereck tut sich auf. Riesige
Zypressen in schattigen Alleen führen hindurch. Rings krönen
ausladende Bogen auf prächtigen Kapitälen, Portale und
Kuppeln die Grenzen des Hofes. Hier liegt der Diwan, von
mächtiger Kuppel gezeichnet — der Sitz des Rechts. Der große
Rat ist versammelt, die Oberrichter Anatoliens und Rumeliens.
— Hinter einem kleinen goldgitternen Fensterchen, hoch über
dem Stuhl des Präsidenten, wohnt der Großherr ungesehen,
aber in aller Herzen bewußt und gefürchtet der Sitzung bei.
Ruhig wie plätschernde Wasser fallen Rede und Gegenrede.
Anklage und Entschuldigung schwirren durch den Saal. Er-
regungslos erwarten starre Blicke das Urteil. Das Sandkorn
rinnt und rinnt. Dann donnert wohl die Ungeduld des Padischah gegen den goldenen Käfig. Ein Zittern, wie Todesschaudern,

läuft durch die Versammlung. Doch nur einen Augenblick —
und nun verkündet dieselbe leidenschaftslose, feierliche Stimme
das Todesgericht — Grabesschweigen! — Ein Zucken — ein
Blitz — ein Aufschrei in letzter, in gräßlichster Qual. Auf spritzt
das Blut und färbt Teppich und Marmorpilaster. Des Henkers
Werk ist getan. Der Leichnam wird hinausgeschleift, die roten
Flecken weggewaschen — zarter Duft zerstäubt aus dem Blumen-
garten Schiras'. Schon sinnt der Diwan über einem neuen
Urteil — leidenschaftslos — ruhig wie plätschernde Wasser
klingt Rede und Gegenrede. — —

Und weiter fliegen die Gedanken. Ein anderes Tor öffnet sich
— die Pforte der Glückseligkeit. Hinter diesen Mauern residiert
der Großherr — der „Bruder der Sonne". Eine Märchenwelt.
Wogendes Grün über den Häuptern und zu Füßen — Düfte
in allen Schattierungen — bald herb erquickend, bald süß ein-
lullend. Sträßchen und Gäßchen mitten durch den üppigen
Garten. Pavillons mit hängenden Bronzeglocken aus dem
fernen Asien, die bei jedem Schritt des Vorübergehenden ihre
Harfentöne erschallen lassen, Kioske mit traulichen Fensterchen
— schlanke, liebliche Säulenreihen, fein und zart wie die
Körper heranreifender schöner Odalisken — Marmorfontainen,
deren sprühender Strahl gleich flüssigem Silber durch das
smaragdene Laub taucht — Häuschen bald weiß wie der Schnee,
bald farbenfroh in bunten, haschenden, greifenden Zirkeln und
Arabesken — bizarr wie die Laune ihrer Besitzers — prächtig
wie der Himmel des Südens in sternklarer Nacht. Ein Spiel
fürstlichen Lebens, großherrlicher Macht.

Und mitten in diesem Eden der Thronsaal des Padischah. Gol-
den wölbt sich die Decke — Marmor und Porzellanplatten bilden
seine Wände. Gedämpft fällt das Licht durch farbige Gläser. Im

Schatten der Diwanthron — balbachinüberdeckt — mit Edelsteinen besät — vier goldene Kugeln auffteigend zur kostbaren Decke.
Hier herrschten ein Murad, ein Selim, ein Achmed, ein Ibrahim.
Grausame Fürsten im Gefühle unseres Jahrhunderts — Menschen ihrer Zeit. Hier häuften die Stummen des Serails die
entseelten Körper meuchelnd erdrosselter Sultansverwandter —
hier stießen die Füße der Tschauschen die Häupter ungehorsamer
Gouverneure und Wesiere. Hier zerrten sich die Züge Ibrahims,
des Wüterichs, zu furchtbarer Lache beim Anblick der glasigen
Augen des unglücklichen Bruders. Und das Licht fiel in die
Juwelen der Teppiche, sprang auf, schlich zurück, bis es sich in
den angstvollen Blicken kriechender Höflinge brach, die schuld-
bewußt das Zorngewölk des Großherrn abzulenken suchten.

Ein anderes Bild — froher, blühender, lebensfreudiger —
der kaiserliche Harem. Gärtchen an Gärtchen, Haus an Haus —
weiter, immer weiter, zierlich, blütengeschmückt. Lauschige
Winkel, versteckte Gebüsche, efeuumrankte Lauben. Schlän-
gelnde Pfade von Muscheln umsäumt — murmelnde Wasser
— Orangenbäumchen voll gelblicher Früchte — lächelnde Ruhe
allüberall — süßes Nichtstun, der Schall der Arbeit weit ver-
bannt — berauschende Düfte — Liebesgirren in der Luft und
auf Erden. Träumen und Kosen. Hier hatte der große weibliche
Hofstaat des Serails seine Freistatt. Hier lebte die ganze Familie des Padischah — die Sultanin-Mutter mit ihren zahllosen
Sklavinnen, den Uftas — die berühmten „Gediklifs", deren
Zwölfstern dem Großherrn bei den Mahlzeiten aufwartete.
Daneben wohnten, jede in ihrem eigenen glanzvollen Kiosk,
mit Dienerinnen und Eunuchen, mit Wagen und Rennern —
die vier Schönsten der Schönen, die vier Kadynen — die aner-

kannten Geliebten des Großherrn. Zahllose Sklavinnen füllten
die Frauenhäuser — Mädchen, so schwarz wie Ebenholz — so
weiß wie das zarteste Blumenblatt der beim ersten Sonnenstrahl sich erschließenden Bergskabiose. Türkinnen, Christinnen,
Heidenbräute — von Janitscharen hergeschleppt, von den
Korsaren auf wildem Meere geraubt. Mädchen, Kinder noch
an Gestalt, Lebensgenuß schon in den Mienen, Jungfrauen,
gebückte Matronen. Ein ewiges Fest scheint hier zu herrschen.
Eunuchen kommen und tragen schwere Schüsseln voll Süßigkeiten hierhin und dorthin. Händlerinnen nahen mit Edelsteinen
und schimmerndem Brokat. Dort aus der Tür des zierlichen
Kioskes tritt pinienschlank eine Kadyne, der weite Schleier ver-
hüllt ihr seidenweiches Goldhaar. Tänzelnd fliegen die winzigen
Pantöffelchen des „Lieblings der nächtlichen Sterne" über den
weißen Staub. Kein Eindruck bleibt. Fliegend scheint die holde
Gestalt über den Boden zu gleiten. — Frohe Musik klingt
hinter grünender Hecke. Zarte Finger zupfen die Saiten, und
eine Stimme so fein, so rein wie Lerchengesang, schwingt sich
in die Lüfte.

Vor massigem Marmorspiegel hockt die jüngste der Kadynen
— die „Tochter der Glückseligkeit" und schmückt sich zu heiterem
Mahle, wo sie, hinter dem Ruhelager des Sultans stehend,
schäumenden Wein in die edelsteinblinkende Schale des Großherrn schütten wird. Kindlichfroh scherzt sie mit den Sklavinnen,
die sie mit Blumen schmücken. Hin und wieder fällt ihr Blick
hinaus über die sonnige Landschaft und schweift hinüber zu den
schimmernden Bergen Kleinasiens. Auch sie war einst dort,
barhaupt, in zottige Felle gehüllt, trieb sie das Vieh über die
saftigen Triften der Hochwiesen. Auch sie war einst frei —
wild wie die braune Rehkitz schoß sie dahin — durch Wald und

Feld, durch Tal und Au. Dann fiel des Paschas Auge auf den
kleinen Wildfang. Zwölfjährig brachte er sie an den Hof des
Padischah. Und die flinkfüßige Gazelle — das Kind der Natur,
wurde die berückende „Tochter der Glückseligkeit" im Serail des
Großherrn. Nun gleicht sie dem gefangenen Königskinde hinter
goldenem Gitter — aber ihr Frohsinn zeigt, daß das Vögelchen
den Sang nicht verloren, und daß Reichtum und Pracht in
Frauenherzen die Liebe zur Freiheit auszulöschen vermögen.

Doch nicht nur ein ewiger Liebesrausch geht durch diese Welt
der Sonne. Liebe und Staatskunst wohnen seit jeher eng bei=
einander, und wo die eine in trauter Umarmung die andere schuf,
entstand jenes Weiberregiment, wie wir es seit den ältesten Zeiten
im Orient finden. Im Harem spannen sich die feinsten Fäden
der Politik. Die Liebkosungen der gigantischen Griechin er=
preßten Ibrahim, dem Grausamen, das Bluturteil über die
Bevorzugtesten seiner Günstlinge und setzten andere, von der
Favoritin erwählte, an ihre Stelle. Murads III. sieben Kadynen
regierten das gewaltige Reich während zweier Jahrzehnte im
ausgehenden sechszehnten Jahrhundert. Die Küsse schöner
Venetierinnen schufen das Freundschaftsbündnis mit der see=
erfahrenen Lagunenstadt, und der Doge und seine Mächtigen
selbst mochten rosafarbene Briefchen mit gleißender Gabe in
heimlicher Sendung an ihre schwarzäugigen Landsmänninnen
senden, auf daß die Gnade des Padischah ihrer Stadt lächle.
Die Wünsche der Sultansgeliebten entschieden über Krieg und
Frieden. Ihr Geheiß schickte die gewaltigen Heere der Janit=
scharen in den Kampf und tausendfach floß Christen= und Sara=
zenenblut — um einer Laune willen. — So wanden sich aus
Liebe, Haß und Mißgunst, Eifersucht und Rache. Spioninnen
überall — auf hundert verschwiegenen Treppen — hinter hun=

bert Nischen und Bogen, zwischen den Seidenbehängen der
Marmorbäder, bis an die Türen des Schlafgemachs der Sultanin-Mutter. Wer weiß von all den Taten furchtbarer Eifersucht zu erzählen, die der Harem durchlebte. Giftige Pfeile,
von unsichtbarer Hand geschnellt, zerrissen den rosa schimmernden
Nacken der Lieblingsgebiblik, so daß sie vor Schmerzen wild
aufstöhnend, sich zu Füßen der hinzuspringenden Eunuchen
wand und wenige Augenblicke später ihre junge lebensdurstige
Seele aushauchte. Seidene Schnüre, von willfährigen Stummen sachkundig geschlungen, erdrosselten die beneidete Neben-
buhlerin und machten selbst vor der einsam lebenden Sultanin
nicht halt. Blitzende Stilette fuhren den ahnungslos Lustwan-
delnden in Hals und Rücken.

Hinter eisernen Türen, abgeschlossen von Licht und Luft,
suchte der Hunger seine Opfer und traf sie. Nächtlicherweile
tönten die halbunterdrückten Schmerzensschreie der Sklavinnen
durch die stille Liebesstadt. Von den Peitschenhieben der
Eunuchen zerrissen, im Brunnen erstickt, fanden sie ihr unrühm-
liches Ende. Dann öffnete sich wohl auch manch versteckter Gang
— mancher Vorhang schlug zurück, und angstvolle Blicke gruben
sich in die Dunkelheit. Donnern die Fäuste der wilden Soldateska
gegen das Tor der Glückseligkeit? Schickt der Padischah seine
Janitscharen, um die Neugeborenen aus den Wiegen zu rauben,
um ungetreue Fürstinnen zu strafen und ihre Leiber in die
schwarzen Fluten des Bosporus zu stürzen? Sind die Stummen
des Serails am Werk? Schwere schleifende Tritte schlürfen
vorüber und verlieren sich im Labyrinth des nächtlichen Waldes.
Leise stöhnen die geängstigten Frauen und schicken heiße Gebete
zu Allah. Der Großherr aber ruht in den Armen einer schönen,
edelsteingeschmückten Zirkassierin und lauscht den Märchen aus

Tausend und einer Nacht, die sie schmeichelnd mit singender Stimme ihm vorträgt. Mild fällt der Schein der maurischen Ampel auf die königliche Lagerstatt. Sinnbetäubend schleichen die Wohlgerüche Arabiens durchs Gemach und sangen sich in die kostbaren Seiden der Wandbehänge. Müde werden die Lider — bleiern blinzeln die Augen. Da schlägt der brokatne Vorhang weit zurück, und eine Odaliske, rot wie Blut, steht auf der Schwelle. Stier fällt der Blick des Großherrn auf die gräßliche Erscheinung — ungestüm springt er auf von weichem Pfühle — seine Angen irren durch das lastende Dunkel, bis er fern, fern, über der schlafenden Stadt mächtige Feuergarben emporschlagen sieht. — Stambul brennt. — — —

Aber die Schrecknisse der Nacht verblassen und Vogelsang lockt den neuen taufrischen Morgen. Wieder trippeln die Füßchen pinienschlanker Kadynen über den zarten Sand, wieder springen die Brunnen und plätschern die Bäder. Der Harem ist zu neuem Leben erwacht, zu neuer Liebe, zu neuer Sehnsucht, zu neuer Schönheit, Leidenschaft und Raserei.

Jäh erhebt sich der junge Offizier. Die alten, großen Zeiten entschwinden und nur die nackten Mauern, lebenswahre Zeugen einstiger Pracht, schauen in Purpur getaucht, im Abendsonnenglanz über die majestätische Höhe. Sinnend schreitet Noureddin dahin — am Medschidi Kiosk vorbei — gerade auf das nahegelegene Militärhospital zu. Dort wartet ein armes gebrochenes Seelchen seiner, und der junge schwermutskranke Held muß jedesmal alle, einst so übersprudelnde Lebenslust zusammenraffen, um ein anderes Menschlein aufzuheitern. Und vielleicht ist es gut so, daß sich die beiden gefunden — der schwerver=

wundete fünfzehnjährige Unteroffizier Redscheb Ali und der
gemütskranke Genesende. Dann pulst wieder die frühere Kraft
in den Adern Noureddins und für Stunden vergißt er das
eigene Leid in der Freude anderen helfen, anderer Leid mildern
zu können. Mit Geschick hat der weißhaarige deutsche Professor, der nicht nur ein bevorzugter Operateur, sondern auch
ein kluger Seelenarzt ist, die beiden zusammengeführt. Die
Standesunterschiede waren schnell verschwunden — im Gefühl des gemeinsamen Leides — jetzt sind sie Freunde geworden.
Man kann sich äußerlich wohl kein ungleicheres Paar denken,
als die beiden — den schlanken Noureddin mit den fein-
geschnittenen durchgeistigten Gesichtszügen, und den untersetzten,
kleinen Ali, der auf zwei Krücken gestützt, das linke Bein zum
Stumpf gemindert, die rechte Augenhöhle von schwarzer Binde
überdeckt, mit dem treuen, traurigen Lachen seines schlauen
Bauerngesichts neben ihm herhumpelt. Und doch sind sie sich
geistig nahe, unendlich nahe. In jenen dunkelnden Stunden,
wenn sie dort oben in Alis Zimmer saßen und ihre Blicke sich
in die Finsternis bohrten, als wollten sie Licht suchen, Licht für
ihre Seelen — wenn sie dann auf den leis rauschenden Wellen
irrenden Flackerschein armseliger Fischerbarken dahinhuschen
sahen, und dazu von ferne das große Licht des Serai Leucht-
turms ab und zu durch das lagernde Dunkel glitt, dann kamen
sie sich vor, wie jene irrenden Boote, die dem großen Licht der
Lebenswahrheit zustrebten.

Auch heute war Ali seinem Freunde ein Stückchen in den
dämmerigen Garten des Hospitals entgegengegangen. „Laß
uns hier bleiben," bat er, „dort oben ist es so stickig und auch
die Lichter sind alle verschwunden — schwarz wie das verlorene
Leben brandet der Bosporus. Und doch ist es mir heute gerade

so froh zumute. Als die Mu'effins das Calat der Vesper ge=
sungen hatten, trat Haffan ben Sfabak, ein frommer Kaufmann,
dessen schönes Landhaus drüben von Skutari herübergrüßt,
bei mir ein und fragte mich, ob ich ein Färber werden und ihm
dienen wollte, die Kunst edler Farben in den Knüpfereien
Kleinasiens wieder heimisch zu machen? Und da habe ich
freudig ja gesagt. Haffan ben Sfabak ist rings bekannt als großer,
kunstliebender Kaufherr, dessen milde Hand schon viele Wunden
geheilt hat — aber mir — mir hat er nicht Almosen — mir hat
er Reichtümer, neue, freudige Lebensarbeit versprochen!"
Wie ein Jauchzen kam es aus dem Munde des Knaben — kein
Krüppel mehr, keiner, der von der Güte anderer Menschen sein
tägliches Brot empfangen mußte — ein Kämpfer wie sie alle
im großen, gewaltigen Lebenskampfe. Noureddin war zu=
sammengezuckt bei den sprudelnden Worten des Knaben. Heiß
wollte es in ihm aufwallen — schmerzheiß — den Freund, den
er eben erst gewonnen, mit dem seine Seele zusammenklang
in seltener Harmonie, sollte er wieder verlieren, und jener
dachte nur seiner eigenen, frohen Zukunft. In diesem Angen=
blicke hätte er es laut hinausschreien mögen — sein Leid —
sein unendliches Leid — das der andere nur ahnen, nur tastend
fühlen kounte in seinem ungeschulten Empfinden — doch er
bezähmte sich und klanglos wie der Schall zersprungenen
Glockenerzes, kamen Worte freudiger Hoffnung aus seinem
Munde.

Ali war zu erregt um den traurigen Ton in der Stimme des
Freundes zu erkennen. Unbefangen plauderte er fort, und
Noureddin hörte aufmerksam zu. Er gönnte dem Jungen das
Glück von ganzem Herzen und wollte es ihm nicht durch eine
unbedachte Äußerung mindern.

Noch einmal durchlebte der Knabe die Tage seiner Jugend im Geiste. Er sah sich wieder in den heißgeliebten Bergen seiner albanischen Heimat — sah die junge Mutter, die früh dahinsiechte — sah den hünenhaften Vater, der stolz auf sein Geschlecht, stolz auf den Namen seiner Ahnen, sich ein König der Berge dünkte. Und er sah die väterliche Kula — jenes Steinhaus, das so feucht und dunkel, ohne Fenster, ohne Luft und Licht, nur durch ein paar Schießscharten die reine Luft des blauen Föhrenwaldes trank, durch die der milde Odem des Frühlings sich zögernd sog, und der Sturmhauch des Winters ungestüm eintrang. Dies Haus hatte ihm so oft gegolten als Spiegel seines einsamen Lebens. Und er sah sich wieder in den niederen Räumen, in denen der Vater glücklich war, wie auf der eigenen Scholle, und er hörte den Vater sprechen von Helden= mut und Freiheit, dieser großen Erbschaft aus Urväters Zeiten — und er mußte ihm geloben, ein echter, freier Sohn der Berge zu werden. Dann aber — dann hörte er noch etwas anderes — etwas, das sich wie glühendes Eisen dem weichen Gemüt des Kindes einprägte. Er hörte von der Blutrache — dem furchtbaren Recht seines Volkes. Und er hörte, daß seine ganze Familie versemt, mit der Hälfte des Dorfes im Blutbann stünde. Etwas wie Zagen wollte bei solcher Rede wohl des Knaben Herz bedrücken — doch des Vaters harte Sprache riß ihn empor: „Du sollst ein echter, freier Sohn der Berge werden und dein Geschlecht verteidigen, wie deine Väter und deine Brüder es getan haben." War es Stolz, war es echter Arnauten= mut, der das heiße Blut schneller zum Herzen jagte?

Der Vater lehrte ihn schießen. Häufig drang jetzt der scharfe Peitschenknall des Schusses durch die schmale Scharte, und die Kugel bohrte sich durch den schmalen Kiefernstamm, der bald

durchsiebt dastand. Dann schlich eines Morgens der Vater
müde und gebrochen durch das steinerne Tor. Das Geschoß des
Feindes hatte ihn getroffen, als er drunten im taufrischen Tal
den Spuren des Bären nachspürte. In der Schulter saß das
spitze Blei. Schwarzes Blut drang aus der kleinen Wunde und
rieselte mühsam herab. Der Knabe wusch den Wundrand und
bedeckte ihn mit blutstillendem Kraut. Er hatte weinen wollen,
doch der Vater hatte ihn scharf angefahren — „Weiber heulen!"

Auf harter Lagerstatt war der Vater zusammengesunken —
einen bösen Fluch auf den Lippen. Und der Knabe hatte ge-
wacht — eine Nacht und noch eine Nacht. Das Stöhnen des
Schwergetroffenen war durch die alte Kula gedrungen, so
schauerlich wie wenn der heisere Käuzchenruf in finsteren Abendstunden draußen aus den Tannen herüberdringt. Am fünften
Tage hatte der Vater ein Messer genommen und es dem
Knaben in die Hand gedrückt. Auf seiner nackten Schulter aber
zeichnete sich ein Strich, schwarz mit Kohle gezogen. Darauf
hatte der Vater gewiesen und gesagt: „Schneid zu — tief und
fest." Zitternd hatte der Junge gehorcht und ängstlich den
blinkenden Stahl auf die schwarze Kante gesetzt. Da hatte der
Vater zugeschlagen auf die wankende Hand und tief war das
Messer hineingefahren ins Fleisch. Dunkelbraun war der Eiter
hervorgequollen, immer mehr, und der Knabe hatte den Schnitt
aufreißen müssen mit beiden Händen. Dann hatte er die Wunde
gewaschen mit hellem klaren Quell, und nach abermals einer
Woche war der Vater genesen. Eine feuerrote Narbe aber blieb
und zeigte den Weg, den Alis scharfes Eisen geschnitten hatte.
Von nun an war der Vater vorsichtiger geworden und nur
abends, wenn die Glocken zum Gebet läuteten und Gottes-
friede herrschte überall auf den weiten Dörfern der Berge,

ging er wohl vor die Kula um die Geschäfte für den nächsten
Tag zu besorgen. Dann durfte auch Ali herumtollen und mit
der liebgewonnenen Flinte sich ein anderes Ziel suchen, als den
knorrigen Kiefernstamm.

Aber dann kam der Tag, jener schwarze Tag, an dem der
Vater am Schießloch stand, um das eigene Blut zu rächen. Da
fuhr es heran — ein kleiner, feiner Knall wie aus einem neu-
modischen Hinterlader — aus großer Ferne. Jäh brach der
Hüne hoch oben zusammen und schlug dumpf dröhnend auf
den steinigen Boden. Der Knabe sprang hinzu — des Vaters
Hände suchten den Schwarzkopf des Jungen — zitternd ent-
schwebte der Atem — ein quälendes Röcheln — dann — „ein
— freier — Sohn — der — Berge". —— Alis Vater war tot.

Lange hatte der Knabe neben der Leiche gehockt und ein
Schmerz, so stechend, so tief, so tränenlos war aus seinem
Innersten gebrochen. In der Nacht hatte der flackernde Schein
der Kienfackel die bleichen Züge des Toten erhellt und am Tage
waren spielende Sonnenkringel darüber hingehuscht. Ali hatte
der Zeit nicht geachtet. Mechanisch war er seinem Werk nach-
gegangen, hatte gegessen und getrunken wie nach des Alltags
Gebrauch. Nur eine tiefe Dämmerung war über sein fröhliches
Gemüt geschlichen — eine unsagbare Traurigkeit hatte seine
Seele gebannt, wie sie das Kind der freien Natur zu überfallen
pflegt, wenn der Herbstwind durch den Laubwald streicht, und
Blatt um Blatt zu Boden fällt — ein langes, währendes
Sterben. Und diese Traurigkeit war ihm geblieben — wochen-
lang, mondelang. Erst der Krieg mit seinen Stürmen, die das
Menschenherz erfrischen, wie der Tau die jungsprießende Saat,
hatte auch seine Seele wieder aufleben lassen zu neuem Ringen,
zu neuem Kampf.

In der zweiten Nacht grub Ali ein tiefes Grab und legte den toten Vater, sorgsam in Decken und Tücher gehüllt, hinein. Die lange, treue Flinte zur Seite, den schneidigen Dolch im Gürtel, lag er da — ein Kriegsmann wie im Leben. Schwer sank die abendfeuchte Bergscholle hernieder, und Gras und Kräuter deckten die einsame Schlummerstatt.

Im Morgengrauen sprang der Knabe davon, sein letzter Blick galt den Kuppen und Höhen und der fernen verlassenen Kula, als er eilenden Schrittes dem klimmenden Ostlicht entgegen, zu Tal schritt.

Ali war näher an den Freund herangerückt. Auch jetzt wieder stand er im Begriff, in die Fremde zu ziehen — ruhelos wie damals — auch jetzt wieder trieb es ihn hinaus — sein trautes Stübchen, den Freund ließ er zurück, wie einst den toten Vater und die kalte Kula. Das Gefühl der Heimat wallte mächtig in ihm auf und mischte sich mit der Trauer um den zurückbleibenden Freund. Jetzt konnte er sich auch in die Seele des andern versetzen, der litt gleich ihm, und lastend zog die Trauer des Scheidens in sein junges Gemüt. Doch er wollte nicht weich werden und lenkte schnell das Gespräch auf gleichgültigere Dinge. Noureddin fiel ein, und im sinkenden Abend saßen die beiden zum letzten Male dicht beieinander und plauderten wie sorglose Kinder.

Über den schwarzen Fluten des Bosporus aber erklomm wieder ein Licht nach dem andern und zog langsam wandelnd seine Bahn, dorthin, wo der blinkende Schein des Leuchtturmes ab und zu auf die düstern Wasser fiel. „Unser Lebensschifflein", sagte Noureddin. Dann blickten sie noch lange den huschenden Lichtträgern nach und trennten sich mit herzhaftem Händedruck zur Nacht. — — —

Der nächste Tag brachte lieben Besuch. Hauptmann Rahmi war von der Front ein paar Tage auf Urlaub nach Stambul gekommen. Nun trat er bei seinem „Jüngsten" ein, den er seit den ersten heißen Kampftagen im Fort Hamidie nicht wiedergesehen hatte. Von seiner schweren Verwundung zwar hatte er auch draußen gehört — aber dann waren alle Nachrichten ausgeblieben. Jetzt freute er sich, den lebensfrohen Jüngling wiederzusehen. Wohl hatte ihm ein junger Unterarzt, den er nach dem Befinden des Patienten fragte, gesagt, der Oberleutnant litte an unheilbar scheinender Schwermut — doch Rahmi schob es auf die Einsamkeit hier oben und ging fröhlich lächelnd durch die Tür, die ihm ein Wärter öffnete. Noureddin saß am offenen Fenster und schaute sinnend, wie es seine Gewohnheit, in die blaue Weite. Beim Klang der Schritte drehte er sich um, und den Hauptmann gewahrend, nahm er salutierend Stellung. „Noureddin — alter Junge!" — Da huschte es wie ein Erkennen über die fahlen Züge des Grüblers und freudig stürzte er sich in die ausgebreiteten Arme des einstigen Waffengefährten.

Hauptmann Rahmi wußte viel zu erzählen. Seine Batterie hatte sich nach den abgeschlagenen Landungsversuchen der verbündeten Truppen bei Kum Kalessi eingegraben. „Da gab es schwere Arbeit. Das alte Sandschloß, ein massives Steingebäude aus dem 17. Jahrhundert, hatten die Engländer völlig zusammengeschossen. Rings im Geröll staken die Granaten und hatten den Boden auf Meilen zerwühlt. Riesige Einschlagtrichter gähnten allüberall. Ein Teil von ihnen wurde benutzt, um die Ballonabwehrkanonen in gute Deckung zu bringen, der andere wurde zu riesigen Schützengräben umgewandelt. Es waren aufreibende Stunden. Nur in der Nacht konnte gear-

beitet werden, am Tage bestrichen die Schrapnells der feind=
lichen Flotte das ganze Gelände und trugen Tod und Verderben
in die Stellungen der kampfbegierigen Anatolier. Dann kam
der 13. Mai, an dem der „Goliath" von Muavenet=i=Millije
torpediert, in die Tiefe sank. Über die alte Feste drang der Not=
schrei der Sinkenden und die Granaten pfiffen ihr schauriges
Lied dazu. Zwei Tage später wälzte sich ein neues Landungs=
korps gegen Kum Kalessi heran. Wieder brüllten die Geschütze,
wieder ratterte das Maschinengewehr seinen lang gewohnten
Sang, und wieder brach der Feind zusammen. Wohl eine ganze
Division hatten die Verbündeten gelandet — Mann an Mann,
Kopf an Kopf setzten sie an zum Sturmlauf gegen die Gräben,
und Mann an Mann mähte der harte Stahl zu Boden. Aber
immer neue Reihen füllten die Lücken — unaufhörlich schossen
die Boote heran mit ihrer lebendigen Fracht. Die Verwundeten
schienen nicht wanken, die Toten nicht fallen zu können, so
dicht stürmten die schwarzen Kolonnen. Es war ein furchtbarer
Anblick. Die braven Artilleristen arbeiteten wie Maschinen,
selbst der Mann am Visier stellte mechanisch auf den Kommando=
ruf ein. Eins — zwei — drei — vier — gingen die Schrap=
nells aus dem gedeckten Munitionsstand in die Hand des Lade=
meisters, bei sechs klappte der Verschluß — Achtung! und bei
acht zog der Schütze ab. Immer rasender wurde das Tempo —
die Rohre glühten und das Kühlwasser war zum Sieden heiß.
Wäre es nicht abnorm, man möchte sagen, die Maschinenge=
wehre gaben schließlich den Takt. Rattatata, rattatata. — — —
Aber das Werk gelang. Die feindlichen Linien fluteten zurück.
Erst einzeln — die Nachfolgenden trieben sie mit aufgepflanztem
Eisen wieder vor — dann immer mehr — immer mehr. Sie
drückten auf die Vorstürmenden. Verwirrung kam in die Pha=

lanr — schließlich ein allgemeines Zurückfluten. Und über diese
einzige lebende Mauer, die auf einem engen Boden zusammen-
gedrückt, nicht Raum noch Gelegenheit fand sich auszubreiten
— schrie unaufhörlich der grelle Klang unserer Todesboten. Ein
entsetzliches Sterben. Und zuletzt stürmten unsere tapferen
anatolischen Infanteristen vor — die Fahne, wie sie es selten
tun, mitten unter sich. Es war kein Kampf mehr, es war ein
Schlachten nur zu nennen. Der glühende Sand trank das Herz-
blut der Kämpfer. Bis in die See hinein verfolgten die Unsern
den fliehenden Feind, klammerten sich an seine Boote und
brachten sie zum Kentern. Nur wenigen gelang es, die weit
draußen liegenden Schiffe zu erreichen. Manche Mannschaft,
die sich schon in Sicherheit wähnte, wurde kurz vor dem Ziel
vom eilenden Geschoß zerrissen. Über unseren Stellungen aber
klang der Siegesruf der rückkehrenden Truppen." So sprach
der Hauptmann und schimmernde Zuversicht glitt über seine
Mienen. Selbst Nourebbins müde Züge waren der Begeisterung
gewichen. „Ich beneide dich", sagte er langsam und gepreßt.
„Aber warum alter Junge? Auch du wirst wieder hinausgehen
und dort draußen die Genesung finden, nach der du dich hier
vergebens sehnst." Die sehnige Gestalt Rahmis reckte sich.
„Laß uns sagen, im Felde auf Wiedersehen!" „Allah sei mit dir."
In brüderlicher Umarmung trennten sich die beiden Offiziere,
die das Schlachtfeld erst vor kurzem zusammengeführt hatte.

Achtes Kapitel.

Am frühen Morgen des nächsten Tages reiste Ali ab. Die Ärzte und Schwestern drückten ihm einzeln die Hand und wünschten ihm Glück in seinem neuen Berufe. Der Junge war sichtlich gerührt von so vielen Beweisen der Anhänglichkeit und dankte mit beredten Worten. Zuletzt kam noch die Oberschwester und brachte willkommene Wegzehrung. Da wollte der Junge weich werden in schamhafter Dankbarkeit — doch Nourebbin riß ihn schnell mit sich — und auf den Arm Hassan ben Sabaks gestützt, verließ Ali das Spital.

Der Oberleutnant begleitete die beiden nach Haidar Pascha. Auf dem Bahnhof schoben sich die Menschen — ein buntes Gewühl. Neben dem roten Fez tauchte überall der graubraune Enverial auf. Man sah er war in der Überzahl. Die wenigen Züge der „Anatolischen", die für den Privatverkehr freigegeben waren, verließen jetzt immer bis auf den letzten Platz besetzt, die Station.

Als das Zeichen zur Abfahrt ertönte, reichten sich Noureddin und Ali die Hand. Ein fester Händedruck sagte, was sie mit Worten nicht auszusprechen vermochten. Prustend zog die Maschine an — noch einmal beugte sich Ali weit aus dem Fenster, und die Hand grüßend am Fez — winkte er dem mählich entschwindenden Freund Lebewohl.

Hassan ben Ssadak hatte mit seinem Schützling in einem Abteil zweiter Klasse Platz genommen. Schwerfällig wand sich die Bahn dahin — die „Anatolische" ist keine Schnellverbindung und über 25—30 km in der Stunde kommt sie selten hinaus. Dafür bietet sie aber auch an ihrer Strecke so viele Naturschönheiten, daß der Reisende sich vollständig mit der langsamen Fahrt aussöhnt und nur seine Augen in Wohlgefallen auf der reichen kleinasiatischen Erde ruhen läßt. Solange das Marmarameer noch sichtbar blieb und fern über die Prinzeninseln hinweg Stambul winkte, stand Ali am Fenster und schaute sehnsüchtig auf die sich mehr und mehr mit weißem Schleier umhüllende Khalifenstadt. Hassan ließ ihn gewähren. Der Trennungsschmerz mußte erst überwunden werden und vielleicht legte er sich so am leichtesten. Unterdessen machte auch er seine Studien. Von Skutari bis Jsmid glich die Gegend einem einzigen ununterbrochenen Militärlager. Waffen aller Gattungen waren dort versammelt, sogar die allermodernsten — die Flieger fehlten nicht. Hier und da sah man sie emporknattern zu kurzen Übungsflügen, oder ein kleiner praller Versuchsballon stieg auf, um Windstärke und Richtung zu messen. Proviantkolonnen, Munitionswagen, Karren mit dem roten Halbmond zu beiden Seiten des Verdecks, fuhren hin und her. Ab und zu überholte ein Auto in scharfem Tempo die gemächlich ihren Eisenweg ziehende Wagenschlange. Auch im Zuge

liefen ein paar Wagen mit Reserviſten, die nach Smyrna gingen,
und dann und wann übertönte wohl ihr Geſang die ratternden
Räder.

In Ismid gab es längeren Aufenthalt. Haſſan war aus=
geſtiegen, um ſich zu erfriſchen — Ali lehute in der offenen
Tür. Die Reserviſten hatten die geräumigen Schiebtüren ihrer
früher zu Viehtransporten verwandten Wagen weit geöffnet,
ſchwatzten, rauchten und erzählten wie ſorgenfreie Menschen,
die zu einer Vergnügungsfahrt in den ſteigenden Tag fuhren.
Da klang aus dem vorderſten Wagen eine reine Männerſtimme,
tief und klar wie gedämpfter Glockenton. — Ein altes türkiſches
Volkslied. Die große buntzuſammengewürfelte Reiſegeſellschaft
drängte ſich heran und nun hörte man es deutlich, die einzelnen
Worte ſcharf akzentuiert:

„Seit dich, goldgelockte Maid,
Ich allhier geſehen,
Kuuden deine Herrl'chkeit,
Schluchten mir und Höhen.

Mit dem Wind im Wettgeſang
Meine Klag' erſchallet,
Deiner Stimme heller Klang,
Tal und Berg mit hallet.

Garten meiner Liebeszeit,
Wie biſt du zertreten,
Trübſal thront und Traurigkeit
Über deinen Beeten.

Fremde bin ich, leide Qual,
Weiß nicht, was ich tu,
Deinen Namen ruft das Tal,
Ruft der Berg mir zu."*)

Traurig, schwermutsvoll ging das Lied aus, wie die meisten, orientalischem Volksempfinden entstammenden Poesien. Man rief den Sänger und dankte ihm. Hassan reichte ein paar Zigaretten hinein. Dann ging die Fahrt weiter.

Bei sinkendem Abend war man im Tale des Kara Su. An einer tiefen Stelle hielt die Maschine, um Wasser zu nehmen. Alsbald sprangen die Türen der Abteile auf, die Verschläge öffneten sich, von überallher strömten die Frommen zusammen, um das Religionsgebot der Fußwaschung zu erfüllen. Eine gewisse Hast zeichnete die fromme Handlung, ständig richteten sich Hunderte von Augen auf den Zug, ob er nicht Anstalten traf, abzufahren. Dann begann ein wahres Wettrennen, und kaum hatten die letzten die Trittbretter bestiegen, als auch schon das schwere Rollen der Räder die Weiterfahrt verkündete. Nach elfstündiger Reise erreichte man Eskischehr, die erste Etappe, wo der Zug zur Nacht blieb. Im Gasthause der Frau Tadia, das einer sehr gemütlichen Wiener Dame gehörte, stiegen Hassan und Ali ab. Auf dem Bahnhofe waren tags zuvor ein paar choleraverdächtige Fälle vorgekommen, so daß Hassan Mühe gehabt hatte, um mit dem Knaben in die Stadt gelassen zu werden. Erst seinen wiederholten Versicherungen, daß sie gradeswegs aus Stambul kämen und die ganze Strecke allein in dem gleichen Abteil zurückgelegt hätten, schienen den

*) Übersetzt von Georg Jacob. Aus einer Sammlung türkischer Gedichte. Kiel, G. Mühlau.

Beamten zu beruhigen und erwirkten ihm die Erlaubnis, eine Nachtherberge aufzusuchen. Von der gemeinschaftlichen Fuß= waschung im Kara Su hatte er sich gehütet, zu erzählen. Die ganze Nacht über lärmten die Soldaten auf der Station. Ein Militärzug aus Angora war eingelaufen und seine Insassen hatten den gemessenen Befehl erhalten, den Bahnkörper nicht zu verlassen. Unterdessen schlief Ali wie ein müdes Kind dem neuen Tag entgegen.

Am nächsten Morgen ging die Fahrt weiter. Der südliche Arm der „Anatolischen" läuft anfangs im Tale des Pursak, um dann mählich höher und höher klimmend, in das Hügelland zu steigen. Rechts und links über die fruchbaren Hochebenen schauen die ragenden Häupter massiger Schiefer= und Sandsteinberge, deren Kuppen nicht selten die 2000 Meter Grenze erreichen. Gegen Mittag nähert sich die Bahn Afiun Karabissar, der ob ihres Handels berühmten alten Opium=Schwarzburg. Hier stehen die Züge der ehemals französischen Smyrna=Bahn bereit. Nach kurzer Rast im Stationsgebäude, das jetzt von einem be= häbigen Türken an Stelle des nervösen, kleinen Franzosen ge= leitet wurde, setzten die beiden ihre Reise fort. Als der Zug davonrollte, schlug man gerade am Bahnhofsgebäude den neuesten deutschen Heeresbericht an. Mehrere höhere türkische Offiziere standen darum und diskutierten eifrig mit einem deutschen Militärarzte, der sich zu ihnen gefunden hatte. Jemand rief ganz laut — „Alleman" — „Viktoria!" klang es den Ent= eilenden in die Ohren. —

Man näherte sich dem Ziele. Hassan hatte seinem Schützling unterwegs häufig von dem neuen Leben erzählt, das er jetzt beginnen sollte. Viel war zu erreichen, wenn er in Uschak die uralten Farbentöne wieder heimisch machte, die unter dem

unheilvollen französischen Geschmackseinfluß, in der Sucht nach
Neuerem zu suchen, bereits bedenklich gelitten hatten. „Ein
Mensch, studiosus novarum rerum," pflegte er wohl zu sagen,
und dabei fuhr eine lange Denkerfalte über seine braune Stirne,
„galt schon im alten Rom nichts, und in der Teppichherstellung
ist er geradezu gefährlich. Die Anwendung der neuen Anilin-
farben, die leicht und billig zu beschaffen sind, hat unsere Regierung zwar für die Knüpfarbeit verboten — doch ständig
tauchen wieder jene Machwerke auf, denen man an ihrem
äußeren Glanze und der frisierten Makellosigkeit sofort den
neuen Farbenspiegel ansieht. Es ist ein Verlust, ein unersetz-
licher Verlust für unser ehrwürdiges Handwerk, vergleichbar nur
der Sträflingsarbeit, die in Indien das alte Teppichgewerbe
gänzlich vernichtet hat." So sprach der alte Händler und seine
Stimme klang scharf und hart vor verhaltener Erregung. „Dich,
Ali, habe ich hierhergebracht, damit du nach dem Rechten siehst.
Ich will die modernen Decken," so nannte er geringschätzig diese
Art von Teppichen, „nicht, die bald unnatürlich rot, bald
schreiend blau, ja zitronengelb sogar, heute in den Basars von
Smyrna prangen. Mein Handel kennt nur einen Grundsatz
und der ist — gute, gediegene Ware, wie sie unsere besten
Stühle schaffen, in Zeichnung und Farbe der überkommenen
Muster." — —

Man war in Uschak angelangt. Schon sank der Abend hernieder. Glühendem Kupfer gleich erglänzte der Rücken des
Kysyl Dag. Hassan ben Ssadak hatte Ali unter den Arm gefaßt
und schritt mit ihm durch die belebten Straßen. Die Knüpferinnen kamen von der Arbeit — in Trupps zu zweien und dreien
zogen sie dahin. Die bunten Kopftücher und das oft reich ge-
stickte Gewand gaben ihrer Gestalt etwas ungemein Malerisches.

8*

Bald tief verschleiert, bald unverhüllt, wie die Sitte ihres
Volkes es gebietet, gingen sie vorüber. Dann traf wohl ein
Blick aus tiefschwarzem Auge die Ankömmlinge, doch nicht auf-
fällig, nicht herausfordernd. Hier oben unter den armen Knüpferinnen herrscht eine seltene Sittenreinheit und nur wenige der
reichen Kaufleute aus Smyrna, die alljährlich nach Uschak
kommen, können sich rühmen, jemals eine der hübschen Knüpferinnen als Geliebte gehabt zu haben. Um Hals und Arm,
oder auch wohl an der Kopfbedeckung trugen die meisten eine
kleine Kette durchlochter Goldmünzen, und je länger diese ist,
je mehr Stücke des roten Metalls sie enthält, um so reicher ist
das Mädchen, um so fleißiger hat sie gearbeitet und gespart,
um sich dermaleinst ein eigenes Heim gründen zu können. Ali
konnte sich nicht sattsehen an dem bunten Getriebe und wäre
am liebsten noch lange träumend durch die dunkelnden Gassen
gegangen — doch Hassan strebte der Herberge zu. Für einen
Fremden war es nicht gut, sich so spät noch auf der Straße zu
zeigen, zumal in den jetzigen unruhigen Zeiten nicht. Zwischen
Armeniern und Kurden war es schon häufiger zu ernsthaften
Zusammenstößen gekommen, und wer dann in der Nähe war,
konnte leicht mit Schaden leiden. Dies aber wollte Hassan auf
jeden Fall vermeiden.

Der folgende Tag fand Ali und Hassan früh auf der Straße.
Obgleich die Sonne noch kaum ein paar Grade über dem
Horizont stand, war doch schon die ganze Stadt an der Arbeit.
Die gestern Abend so lebhaften Gassen schienen heute morgen
verödet — ab und zu wohl schlich ein altes Weib zum Brunnen,
um Wasser zu schöpfen, oder der Schlurfschritt eines Last-
kamels ward über den moosigen Kopfsteinen hörbar — sonst
herrschte Ruhe. Auf Hassans Schulter gestützt, schritt Ali mit

dem gesunden Bein kräftig aus. Bald näherten sie sich den
ersten im Freien errichteten Teppichstühlen. „Fast elfhundert
Webstühle", berichtete Hassan, „sind jetzt hier im Gange und gut
ein Viertel von ihnen arbeitet für mich." Nun waren sie nahe
heran. Zum ersten Male sah Ali die fleißigen Knüpferinnen
am Werk. Zu sechsen saßen sie auf einem schmalen Brett, das
über zwei kurze Leitern gelegt, in etwa vier Fuß Höhe über
dem Erdboden schwebte. Vor ihnen erhob sich der schwere
Webstuhl, über dessen Kette ihre emsigen Finger geschickt hin
und herglitten, bald um mit dem Bitschak (Messer) das Ende
der Knüpfungen abzuschneiden, bald um neue Knoten zu
schürzen oder mit dem Holzkamme eine Reihe von Knüpfungen
kräftig gegen die untersten Schußfäden zu schlagen. Eine alte
Weberin saß in der Mitte und rief mit heiserer Stimme die
einzelnen Knüpfungen aus. — „Zwei Rot — ein Weiß — drei
Blau."

An beiden Enden der Frauenreihe hockte ein kleines Mädchen, sechs oder siebenjährig mochte jedes sein, und führte
den Kamm mit erstaunlichem Geschick. In Uschak werden die
Kinder schon früh für ihren späteren Beruf ausgebildet und je
gewandter die Weberin, desto mehr wird sie nicht nur von der
eigenen Familie, sondern auch von der ganzen Sippe geschätzt,
und desto eher kann sie hoffen, einen Mann zu finden. Ein
ganz feines Geräusch hob sich von den wirkenden Händen, wie
wenn eine Schar von Heinzelmännchen beständig über die
gestraffte Kette huschte, und dann übertönten wieder die Erzählungen einer weißröckigen Kurdin den Gesang der Arbeit.
Ali wollte näher hinzutreten, doch Hassan zog ihn fort. „Wir
müssen jetzt den alten Sabullah aufsuchen. Der Greis wird schon
auf uns warten."

Nach kurzer Wanderung erreichten sie das schmale ein-
stöckige Häuschen, in dem Sabullah, der alte Färber, nun
schon seit zwei Menschenaltern hauste. Ein weißhaariges
kleines Männchen trat den Ankömmlingen entgegen und be-
grüßte Hassan mit ehrerbietiger Geste. „Sabullah!" begann
dieser, „ich bringe dir hier einen jungen Gehilfen, den du in die
Kunst des Färbens einweihen sollst und der, wenn Allah es will,
dereinst, wenn deine Augen schwach werden, die Farben mischen
wird, wie du es getan von Jugend an." „Du tatest wohl daran,
Herr," entgegnete der Alte, und sich mit einem schnellen Seiten-
blick gegen Ali wendend: „Du wirst Befriedigung finden in
deinem neuen Berufe, mein Sohn."

Die drei Männer waren aufs Dach gestiegen, auf der engen
Straße brütete die Sonne und benahm den Atem — hier oben
aber unter der ausgespannten Segeldecke zog ein leichter
fächelnder Wind vom Gebirge herüber. Fernhin schweifte der
Blick über die weiße Stadt — dem schillernden Goldband gleich,
zog ein Flüßchen durch das wellige Tal und schied die Häuserreihen in zwei Gruppen, hüben und drüben. Die waldigen
Höhen des Elma Dag und der ragende Gipfel des gigantischen
Murad Dag grüßten wie die Häupter riesiger Wächter herüber.
Hassan und Sabullah hatten sich auf dem teppichbelegten Boden
niedergelassen und waren in eifrigem Gespräch vertieft. Der
Alte wußte viel zu erzählen von den neuen Teerfarben und wie
durch sie mancherorts bereits die früheren Farbtöne gänzlich
aus den Erzeugnissen verschwunden seien. Die Kultur der
Rotwurzel gehe immer mehr zurück und an ihrer Statt beginne
man schon mit Fuchsin zu färben. Eine hellrote wässerige Farbe,
verdünntem Himbeersaft gleichend, sei die Folge der neuen
Methode, und unglücklicherweise ließen die Großhändler in

Smyrna sich diese frischen, schreienden Stücke an Stelle der
nach gutem alten Geschmack hergestellten aufdrängen. „Leider",
fiel Hassan ein, „sprichst du nur zu wahr. Selbst im Basar zu
Stambul wurde diese Ware als neuester Geschmack mit tönender
Schelle angepriesen, und vor dem Kriege gab es nicht wenige
der reichen Fremden, die wohl das Geld, aber kein Verständnis
für unsere Teppiche haben, die sie kauften." Hassan hatte mit
wegwerfender Miene, wie das sonst nicht seine Art war, gesprochen, aber wer für seine Lieblinge, die Teppiche, keinen
Sinn hatte, dem konnte auch er kein Vertrauen schenken. — —

In der geräumigen Halle dampfte der würzige Kaffee. Nun
ging Sadullah mit seinen Gästen hinunter. Ein junges Kurden-
weib schlüpfte hurtig durch den Vorhang, um die vielschläuchige
Wasserpfeife auf den blinkenden Rauchtisch zu setzen — dann
ging sie. Ali war erstaunt über die Menge der prächtigen
Teppiche, die überall an den Wänden hingen. Der Alte hatte
sie während eines langen arbeitsreichen Lebens gesammelt, und
kein noch so günstiges Gebot hätte ihn von seinen Schätzen zu
trennen vermocht. Hier lebte er, und fühlte er sich wohl, und
wenn im frühen Dunkel regnerischer Tage die Ampel ihr
buntes Halblicht über den weiten Raum goß, träumte er von
vergangenen Zeiten und der großen Kunst seiner Heimat.
Seinem Stande nach war der Alte ein Krösus und wäre er
auf Hassans Gebot eingegangen, seine Teppiche zu verkaufen,
so hätte er in einem schönen Landhaus am Bosporus oder an
den Gestaden der Marmara seinen Lebensabend beschließen
können. Doch daran dachte er nicht.

Hassan wies Ali auf ein altes Giordes Gebetstück, das gerade vor ihnen hing. Seidig glänzte die satte dunkelbraune
Wolle. Symmetrisch stand Figur neben Figur, sich in der

Mitte zur Gebetsnische vereinend. Da war keine Überladung,
kein Wirrsal in der Zeichnung — nichts, durch das die moderne
Orientalistik zu wirken sich anschickt — mit einfachen Mitteln
und Linien war die höchste Gestaltungskraft entfaltet, der
schönste Effekt erzielt. In vornehmer Ruhe, wie ein gutes Ge=
mälde, sprach die Arbeit zu ihrem Beschauer. Fürwahr, das
war Kunst — Kunst, wie der Enthusiast sie wohl ahnen, aber
nur selten mit eigenen Augen zu schauen vermag. —

Über dies und jenes sprachen die drei, bis die Stunde zum
Abschied schlug. Hassan wollte noch am Nachmittag wieder
nach Afiun=Karahissar zurückkehren, um am nächsten Abend in
Stambul zu sein. Sabullah und Ali begleiteten den Scheidenden
zum Bahnhof. Als der Zug sich in Bewegung setzte, schluchzte
der Knabe laut auf — zum ersten Male in seinem Leben.
Der Tod seiner Mutter, das furchtbare Ende seines Vaters
hatten ihn tränenlos gelassen — der Abschied von seinem
Wohltäter trieb ihm das salzige Naß in die brennenden Augen.
Noch lange blickte er dem Enteilenden nach, bis die lange Wagen=
reihe sich schnell zu Tal windend, den sehnsüchtigen Blicken ent=
schwand. Dann stampfte er rüstig mit seinem neuen Beschützer
durch die glühenden Straßen — einem andern Leben — einer
besseren Zukunft entgegen.

— — — — — — — — — — — — — —

Als Hassan ben Ssadak nach Stambul zurückkehrte, war
Noureddin verschwunden. Niemand mußte wohin. Der deutsche
Sanitäter hatte ihn noch am Abend nach Alis Abreise in den
Gärten des alten Serails getroffen. Wie es so seine Gewohnheit,
hatte er träumend hinausgeschaut über die Lande, als wolle
seine Seele sich satt trinken an der Unendlichkeit, die sich vor
ihm ausbreitete. Die ganze Nacht durch hatte das Licht in

seinem Zimmer gebrannt. Als man aber am Morgen kam, um
ihn zu wecken, war er verschwunden. Wohin? Vermutungen
gingen hin und her. Jemand wollte in der Nacht ein dumpfes
unheimliches Plätschern im Bosporus und unterdrückte Hilfe=
rufe gehört haben. Man glaubte an einen Unglücksfall — viel=
leicht auch an Selbstmord. Der Professor war außer sich und
machte alle Welt verantwortlich. Jeder hatte den stillen Dulder
lieb gehabt, und es gab nicht wenige, die aufrichtig um ihn
trauerten. Am zweiten Tage berichteten Bauern aus der Um=
gebung, die man benachrichtigt hatte, sie hätten einen jungen
hochgewachsenen Offizier, dessen tief trauriger, versonnener
Gesichtsausdruck ihnen aufgefallen sei, auf der Landstraße nach
San Stefano gesehen. Sofort angestellte Untersuchungen er=
gaben auch hierfür keinen Anhalt. Rahmi und Hassan kamen
noch ein paar Mal ins Genesungsheim, um immer dieselbe
Auskunft zu erhalten. „Nichts!" Der junge Oberleutnant
Noureddin Effendi blieb verschollen. — — —

Neuntes Kapitel.

Bei Kap Helles, in öder steiniger Bucht, deren hohe Felswände schwarz und kahl zum Himmel ragen — dicht hinter den schützenden Vorsprung gedrückt, liegt ein deutscher Unterseekreuzer auf der Lauer. Langsam hebt sich der junge Tag. Zirruswolken von leichter Briese getrieben, ziehen am blauenden Firmament dahin und zerwehen zu langen flatternden Schleiern. Weiße Punkte huschen von Ferne über den dunklen Spiegel der See und künden mit krächzender Stimme das nahende Licht. Möven in gewaltiger Schar flattern von ihren Nisthöhlen auf, und klatschend streifen ihre Flügel das stille Wasser. Der schlanke, zylindrische Stahlleib des Kreuzers schaukelt kaum auf der ruhigen Flut. Nun fallen die ersten schrägen Strahlen der aufgehenden Sonne vom Bug her über seinen matt glänzenden Panzer. Ein paar Schatten spiegeln sich hier und dort, helle Flächen kriechen über den Kommandoturm, jäh taucht die Spitze ins Licht. Auf dem Achterdeck sitzen fünf, sechs Matrosen, kräftige,

braune Gestalten, deren weiße Hosen und blaue Blusen in
dieser Einöde wie bunte Farbenkleke auf schwarzer Palette
wirken, und verzehren ihr Frühmahl. Hin und wieder schlürfen
ihre nackten Füße über die glatten, kalten Stahlplatten.

An der Vorderluke hält der Kapitän scharfen Ausguck nach
Süden. Hinter ihm sucht sein Bootsmann den östlichen Horizont
mit dem Prismenglas ab. Nahe bem Kreuzer, am Felsen-
gestade liegt das winzige Faltboot vertäut. Wie eine Nußschale
hüpft es auf den Kämmen der leise anschlagenden Wellen.
Oben auf der Spitze des Felsens hält ein deutscher Offizier die
Wacht. Hin und her wandert das suchende Rohr, ob nirgends
ein Rauchstrahl, nirgends die ragenden Masten eines fremden
Schiffes zu entdecken sind. Der Schiffschronometer zeigt eben
die sechste Morgenstunde, da wird in der Richtung gegen Imbros
hin ein seines Dunstwölkchen sichtbar. Scharf werden die
Gläser eingestellt. Der schwarze Ballen dort weit am Horizont
ist wieder verschwunden — war es eine Täuschung? Minuten
vergehen in spannender Erwartung. Wieder schießt ein seiner
Strahl kohligen Rauches gegen den blauen Himmel, ballt sich,
zerteilt sich und verfliegt. Diesmal haben es alle deutlich gesehen. Der Offizier an Land gibt mit den Armen die Richtung.
Wieder vergeht eine kurze Spanne Zeit, und wieder rollt der
Dunst in langer Fahne über die Ferne. Nun drückt der Wind
die schwarze Wolke auf das silbrig sich kräuselnde Meer, und jetzt
werden auch die ersten schwachen Umrisse eines schnell sich
nähernden Schlachtschiffes sichtbar. Auf dem Unterseekreuzer
herrscht noch immer dieselbe tatenlose Ruhe, wie vordem, nur
die Beobachter lugen angestrengt nach der Beute und lassen sie
nicht wieder aus. Mählich hebt sich die ferne Silhouette. Ein
ragender schwingender Strich wird sichtbar, der sich nach unten

immer mehr verdickt und schließlich in einen gewaltigen, auf dem Waffer ruhenden Holzkloß überzugehen scheint.

Der Offizier von Land kommt an Bord. Geschickte Hände legen das Faltboot zusammen und verstauen es. „Englischer Panzer", ist sein Urteil. Auch der Kapitän schließt sich ihm an. Der ferne Riese wächst und wächst. Seitlich von ihm taucht eine zweite Silhouette auf — nicht minder gewaltig. „Donner= wetter" murmelt der Kommandant — „das sieht ja so aus, als ob die ganze Flotte wieder gegen die Dardanellen im An= marsch wäre — Luken dicht!" Der Stahlzylinder verschluckt die wenigen Menschen, die sich noch eben auf ihm sonnten. Die Offiziere stehen im Kommandoturm. Das Boot ist zum Tauchen bereit. Ein Glockensignal schrillt durch den Maschineraum und klirrt im nächsten Augenblicke im Turm wieder. Der Befehls= taster springt auf „verstanden". Gurgelnd fährt das Waffer in die Tanks. Der Kreuzer sinkt. Wieder em Schrillen und wieder ein Klirren — Stopp! Über das sinkende Bootsdeck wäscht träge die ruhige See. Nur der Turm ragt noch ganz aus den Fluten. Der Kommandant hat das Fernrohr weit ausgezogen und lugt nach dem feindlichen Schlachtschiff. „Der Kerl hat seine Netze ausgespannt", wendet er sich an seinen Ersten. „Das war vorauszusehen — aber es soll ihm nichts nützen." Zweimal arretiert er die Kompaßnadel — es stimmt — das Instrument arbeitet gut. „Nehmen Sie die Richtung mit, Herr Kapitänleutnant" — West — drei Striche Nord. — Rrrrrrrrrr! Die Tanks sind zu sieben Achtel gefüllt, automatisch stoppt die Wasserzufuhr.

Der Krenzer schießt hinab. Die Maschinen pfeifen und sansen — das Manometer zeigt fünf Meter unter der Ober= fläche. Ein Kurbelgriff löst die hinteren Steuerflächen aus.

Horizontal geht die Fahrt — dem Feinde entgegen. Minute auf Minute verrinnt. Die eigene Schnelligkeit beträgt zwölf Knoten — wie groß die des nahenden Panzers ist, bleibt vorläufig eine unbekannte Größe. Wieder vergehen ein paar Minuten — vorsichtig werden die Sehrohre emporgekurbelt. Jetzt stehen sie über Wasser. Klatschend fährt die Bugwelle dagegen und beschlägt das Objektiv. „Höher!" Hier draußen ist ziemlicher Wellengang. Das Auge muß sich erst gewöhnen über den hüpfenden, grünen Wellenbergen einen Gegenstand zu erkennen. Lange blickt der Kommandant auf die kleine runde Spiegelscheibe — dreht hierher und dorthin. — Endlich! — Der Engländer ist seitlich ausgewichen und biegt nun in zwei Strich nach Süden ab. Die Entfernung mag etwa fünf Meilen betragen. In kurzer Zeit müssen beide auf gleicher Höhe sein. Die Treibachsen ächzen und stöhnen — der Ingenieur holt alle Kraft aus der Maschine. „Ruder scharf Steuerbord!" Willig folgt der Unterseekreuzer der starken Wendung. Er liegt jetzt senkrecht zur Fahrtrichtung des feindlichen Panzers. Ein paar Minuten weiterer angestrengter Fahrt verringern die Entfernung zwischen den Schiffen bis auf knapp drei Seemeilen. „Langsame Fahrt — Stopp!" — Das Boot steht. Alles ist auf seinem Posten. Die Hand am Hebel wartet der erste Ingenieur. Der Herzschlag des Bootes scheint ein paar Sekunden lang zu stocken. Nur das Heulen der Dynamos unterbricht die feierliche Stille vor dem Schuß.

Der Kommandant visiert nach dem Feinde hinüber — der gleitet in langsamer Fahrt, in Rücksicht auf die Küstennähe, vorwärts. Rrrrrr! Der Kreuzer schießt näher heran. Ratternd fliegt das Steuerrad herum. Die Längsachse des Kreuzers liegt im Augenblick wenige Meter vor der Fahrtrichtung des recht-

winklig vorbeilaufenden Panzers. Gelingt es, den Torpedo rechtzeitig abzubringen, so muß der Feind gerade hineinlaufen um
mittschiffs auf die Pistole zu stoßen. Ein letzter prüfender Blick.
Ein schrilles, wohlbekanntes Signal, so schreiend, so gellend wie
nie — ein Stoß, der sich durch den harten Stahlkörper tausendfach fortpflanzt — der Torpedo ist aus dem Rohr. Ein langer,
immer mehr sich dehnender Streifen läuft unter der grünen
Flut dahin. Noch scheint der Feind nichts gesehen zu haben.
Doch — das gefährdete Schiff sucht zu entkommen. Deutlich
hört man das schwere Schlagen der großen Schrauben. Wahr-
scheinlich gibt er Gegendampf. Aber die Laufzeit des Tor-
pedos ist jetzt auch zu Ende. Der nächste Moment muß die
Entscheidung bringen, ob der Schuß sitzt oder sein Ziel verfehlt
hat. Ein dumpfer Knall, der über die schweigenden Fluten hallt,
kerzengerade steigt die schäumende Wassersäule, wie von unsichtbarer Windhose geschleudert, empor — ein Krachen und Bersten
und dann abermals ein furchtbares, ein schreckliches Dröhnen,
das die Luft zerreißt und Eisenplatten und starke Balken wie
leichtes Getäfel davonschleudert — schwerfällig legt sich der
Koloß auf die Seite.

Nun heißt es tauchen. Das weitere Schauspiel entzieht sich
den Augen der Unterseehelden. Die eigene Sicherheit steht
auf dem Spiele. Mit schnellem Griff sind die Sehrohre
niedergeholt, die Tiefensteuer gezogen und der Kreuzer sinkt
in mäßiger Fahrt hinab. Der erste Offizier hat die See-
karten vor sich liegen. „Wir werden auf 25 Meter gehen
können," wendet er sich an den Kommandanten, „dann
bleiben noch fünf bis sechs Meter, die wir vorsichtig abtasten
müssen, um auf den Grund zu kommen." Die Manometernadel
rückt stetig vor. 15 Meter, 18, 20. — Der Kreuzer bewegt sich

kaum vorwärts. Hier unten ist der Wasserdruck schon ein ganz
enormer — der Kapitän schätzt ihn auf über 2 Kilogramm auf
den Quadratzentimeter. Im Stahlrumpf aber merkt man nichts
von der gigantischen Wasserpresse. Die Atemluft ist fast un=
heimlich rein. Jedermann hat seine Kalipatrone im Munde,
durch die der ausgestoßene Stickstoff augenblicklich gebunden
wird. Ein freies Licht würde hier unten mit hell aufschlagender
Flamme brennen. — 25 Meter. — Aus dem Kommandoturm
fährt ein greller suchender Lichtstrahl durch die schwarzgrüne
Tiefe und bohrt sich eine halbe Schiffslänge weit in die dunklen
Wassermassen. Freie Bahn — Schleichend fährt die Manometer=
nadel über die hellbeleuchtete Skala. Alles Licht im Kommando=
turm ist abgeblendet, nur der feine, dünne Strahl schießt heraus
und läßt die Umgebung wie glitzernde Kristallwände aufleuchten.
— 28,8—29 Meter. Der schwere Bleikiel unter dem Boot setzt
auf. Unten im Stauraum hat man es deutlich gehört. Der
Bootsmann bringt die Meldung. Der elektrische Telegraph
gibt das Stoppsignal. Noch einmal schort der Kiel leise an —
dann ruht der Kreuzer bewegungslos auf dem Grunde des
Meeres.

Das blendende Licht im Kommandoturm zieht seine Strahlen=
bündel ein. Die Glühbirnen im Innern werden eine nach
der andern gelöscht, nur die Notwendigsten bleiben brennen
und beleuchten in mäßiger Helle das Stahlhaus unten auf dem
Grunde des Meeres. Im Mannschaftsraum sind die Matrosen
versammelt — auch die dienstfreien Offiziere haben sich hinzu=
gefunden. Der junge Ingenieuraspirant schiebt eine neue
Walze in das Grammophon und klar und deutlich klingt es aus
dem Stahltrichter „Deutschland, Deutschland über alles — über
alles in der Welt.“ — 25 Meter unter dem Meeresspiegel feiern

Deutschlands Unterseehelden ihren Sieg. Manchmal, wenn die
schnarrenden Töne des Phonographen aussetzen, geht ein
tiefer, stoßender Schall durch die Wasser. Dann wissen die
Matrosen, daß ein Maschinendampfer über ihren Häuptern
dahinzieht, oder ein Brummen und Sausen bringt durch die
Stahlwände, wenn der Turbinenkreuzer, auf der Suche nach
dem flinken Unterseejäger, das Meer pflügt. — — —

So vergeht der Tag und der Abend bricht herein. Der
Kreuzer ist wieder aufgetaucht und hält auf die Dardanellen
zu. Die Besatzung steht an Deck und rührt die ersteiften Glieder.
Eine der zahlreichen Buchten bietet Schutz bis zur sinkenden
Nacht. Fernab gleitet ein trauriger Zug in der Richtung auf
Lemnos dahin. Drei Linienschiffe sind es in Kiellinie hinter-
einander. Deutlich sieht man die Spuren schwerer Beschädi-
gungen an ihren Aufbauten. Rahen und Tauwerk hängen in
buntem Gewirr durcheinander. Der vordere Schornstein des
ersten ist herabgeschossen und liegt wie eine schwarze, un-
förmige Masse zwischen den starrenden Turmgeschützen. Ein
Schlepper hält das lecke Schiff mühsam in Fahrt. Auf allen
weht die britische Fahne in Halbstock. Klagend hallen die lang-
gezogenen Töne der Trauermusik über die schweigende See.
Albion trauert um seine Helden. Schmeichelnd singen die
Wellen das Totenlied. Der Kommandant und seine Offiziere
salutieren, als die traurige Silhouette mählich am Horizont
entschwindet. — Den Toten! — Durch die nächtlichen Wasser
aber schießen gefräßige Haie, und die Morgenflut treibt zer-
stückelte Leichen auf die zackigen Felsen.

———————————————————————

Auf der Landstraße, die von Boghalu nach Karnabiköi führt,
ziehen zwei Reiter ihres Weges. Beide sind von schlanker

Gestalt, in der erdbraunen Uniform des türkischen Roten Halbmondes. Ein paar deutsche Studenten — Mediziner im vierten
Semester, die Wissensbrang und Hilfsbereitschaft im Dienste
der freiwilligen Krankenpflege vor knapp drei Monden von der
alma mater Westphaliensis hierhergetrieben hat. „Das Land
ist rauh und der Krieg ist hart," wendet sich der rotblonde West-
falensohn an den gemächlich neben ihm trabenden Freund —
„aber ich möchte diese Zeit nicht missen — es ist etwas Herrliches um den Freiheitskampf eines Volkes und ihn hier so
aus nächster Nähe zu sehen — ich finde, das stählt die Nerven
und weitet den Sinn für große, harrende Aufgaben." „Du
schwärmst schon wieder," lacht der robuste Holsteiner. „Kaum
waren wir acht Tage hier, da erklärtest du bereits den Orient
für deine alleinige Interessensphäre, ich glaube du würdest
auch besser als Pascha, denn als Münsterscher Professorensohn
durchs Leben gehen." „Du höhnst, Heinz," entgegnete der
andere. „Wenn ich auch ein tiefes Empfinden für die Kultur
und Geschichtswelt des Islams habe, und mein Gemüt sich in
weichen süßen Träumen wiegt, wenn ich über die schlafenden
Lande ziehe, so vergesse ich doch darüber meine Heimat nicht,
und namentlich die Romantik meiner Vaterstadt hat mich von
jeher in ihren Bann geschlagen. Wie oft habe ich nicht schon als
Knabe die Geschichte der großen Westfalenzeit durchlebt —
das Ende des gewaltigen Krieges, der Deutschland dreißig
Jahre lang verwüstete — der Friede in Münster geschlossen, in
verschwenderischer Pracht und höfischem Zeremoniell. Mit
brennenden Augen habe ich die Überlieferungen aus der
Wiedertäuferzeit gelesen, von Knipper Dolling und Jean von
Leiden mit seinen schönen Frauen, die er doch so grausam zu
morden verstand. Dann bin ich wohl hinaufgeschlichen in das

alte gotische Rathaus, habe mit faſt heiliger Scheu die zer=
fallenen Brokatkiſſen betrachtet, auf denen die Friedensge=
ſandten einſt geſeſſen, habe an Leibens Zweihandſchwert zitternd
gerührt und mir von dem uralten Armleuchter berichten laſſen,
für den ein Reicher dreiviertel Millionen Mark bot und ihn doch
nicht erwerben kounte.“ „Du biſt unverbeſſerlich,“ fiel der
Holſteiner ein, „du lebſt in einer längſt vergangenen Welt.
Ich ſehe die Sache mit realeren Augen an. Mein Steckenpferd
iſt die Moderne, das Jetztleben, wie es ſich bietet, ſei's im
Frieden, ſei's im Kriege. Beides hat ſeine Reize. Wenn ich
an etwas mit Freuden zurückdenke, ſo iſt's das friſche, flotte
Verbindungsleben, das der Krieg ſo jäh zerbrach. Haſt du
übrigens Nachrichten aus der Heimat — ich ſah heute morgen
einen Brief für dich in der Poſt?“ „Er war von einem Ver=
bindungsbruder, Hanns von Leſſer — nicht viel Neues — doch
wenn du ihn leſen willſt?“ „Nein, erzähle nur!“ „Nun,
Leſſer ſchreibt, daß unſer neues Heim als Hospital eingerichtet
iſt. Im Tanzſaal reiht ſich Bett an Bett, und aus dem Archiv
iſt ein kleiner Operationsraum geworden. Doch der friſche
Klang, der einſt durch die Räume ging, hallt auch jetzt wieder.
Leicht verwundete deutſche Soldaten ſehen im frohen Burſchen=
hauſe ihrer Geneſung entgegen. Über die Treppen und Gänge
und überallhin, wo fröhliches Kneipen erſcholl, da huſchen
jetzt behutſam die weißen Häubchen der Schweſtern, und die
gütigen Augen der Oberin halten die Zucht, die einſt dem
ſtämmigen Hauswart ſchwer ward.“ „Famos,“ rief Heinz
Felten, „famos, ein Hurra der deutſchen Organiſation“ und
dann ließ er einen Jodler los — einen rechten, guten nord=
deutſchen, der allerdings mit dem echten Bergruf wenig ge=
meinſam hat, ſo laut und frei, daß die umliegenden Hügel=

ketten ihn in allen Tonarten wiedergaben. „Es ist doch schön
ein Deutscher zu sein!" — — Klapp, klapp gingen die Hufe der
schmalen, kleinen Araber über den felsigen Untergrund. „Was
sagt übrigens der alte Generalarzt in Gallipoli", hub Balthasar,
der Westfale, von neuem an. „Er meint, es würde hier bald
zum Krachen kommen. Die Engländer verhalten sich jetzt bei
Krithia so ruhig. Unzweifelhaft sammeln sie neue Kräfte. Dar-
aufhin deuten auch die ungeheuren Truppentransporte, die
ständig von Lemnos gemeldet werden. Für Krithia und die
Südspitze der Halbinsel ist aber vorerst keine Gefahr. Das
Operationsgebiet ist zu begrenzt, um mit größeren Truppenmassen einen Erfolg versprechenden Vorstoß nach Norden
machen zu können. Man rechnet deshalb in militärischen Kreisen
unzweifelhaft mit der Absicht der Verbündeten, noch an einer
andern Stelle Truppen zu landen, um weitere Küstenstriche
für eine groß angelegte Offensive zu gewinnen. Wenigstens
berichtet so der ‚Alte', der ja immer ein feines Ohr und ein gut
eingestelltes Ahnungsvermögen gehabt haben soll." „Sicher-
lich," entgegnete Heinz Felten, „dieselbe Ansicht ist bei den
deutschen und türkischen Offizieren allgemein verbreitet. Und
sie ist ja auch nur die logische Folgerung aus den vorhergehenden
Ereignissen. Die Engen mit Gewalt zwingen zu wollen, ist
Albion müde geworden — von Seddil-Bahr nach Stambul
ist ein weiter und beschwerlicher Marsch. Weshalb soll man sich
den nicht ein wenig abkürzen. An der Westküste sind noch so
viele geeignete Landungsplätze, daß man unzweifelhaft einen
von ihnen wählen wird. Im Golf von Saros selbst ist die
Landung ein gefährliches Wagnis. Die starke Bulair Stellung
würde sie in der Flanke aufs schwerste bedrohen. Was bleibt
übrig? — der Küstenstrich an der Ägeis hinunter bis Kaba Tepe

und ich möchte wetten, daß hier die nächsten ‚Colonials‘ ihr
Blut für Old Englands Krämerpolitik verspritzen werden."

So sprachen die deutschen Studenten und trabten frohgemut
dahin, durch Täler und Schluchten, über Hügel und Kämme, im
fernen unwirtlichen Lande, ihrer Heimat und ihrem Volkstum
getreu.

Zehntes Kapitel.

Heinz Felten sollte Recht behalten. Täglich wurden gewaltige Transportdampfer aus dem Inselmeer gemeldet, die vollgestaut mit Kriegsmaterial und neuen Truppen, auf den verschiedensten Ruten Lemnos ansteuerten. Eingeschmuggelte griechische Zeitungen brachten sogar Einzelheiten. Eine ganze Division Neuseeländer sei angekommen. Halbwilde Maoris hätten an der Reeling gestanden und nach den zahlreichen Haien, die jetzt in der Ägeis ihr Spiel trieben, mit hölzernen Harpunen gezielt. Da gab es Arbeit für die deutschen Unterseeboote. Tagelang lagen sie geduldig im Kurs des erwarteten Transporters auf der Lauer. Aber der Riese war gewarnt und änderte die Fahrt kurz vor dem Ziel. Spione staken überall. Über Wasser, unter Wasser, auf harmlosen Fischerbooten, in Buchten und Landungsplätzen. Aber manchmal kam doch der günstige Augenblick und troß der Begleitschiffe, die rechts und links den schweren Handelsdampfer begleiteten, gelang es, ihm

einen Torpedo in den Leib zu rennen. Dann bäumte sich die
See, schnelle Kreuzer schossen hierhin und dorthin, ein Schreien
kroch über die Wasser, furchtbar herzzerreißend, erhobene Arme
wurden sichtbar, stürzende Körper — ein Brodeln der Tiefe
und ein tiefes Klagen. Tausend Menschenleben gingen zugrunde,
mit einem Schlage, auf daß tausend andere erhalten blieben. —

In den Abendstunden des 6. Augusts brachte ein türkischer
Wasserflieger die Nachricht, daß die Schiffe der Verbündeten
sich in großer Anzahl auf der Höhe von Mudros versammelten,
und daß starke Truppenmassen an Bord gesichtet wären. Nur
die hereinbrechende Dunkelheit hätte eine weitere und ge-
nauere Erkundung verboten. Alsbald ging durch die Linien
von Bulair hinab bis zum Achi Baba das Alarmsignal. — Die
Engländer kommen. —

Den lieben langen Tag hatten die Granaten den festen
Posten oberhalb Krithias umheult, ohne daß ein nachdrücklicher
Sturmangriff erfolgt wäre. Nun sollte es endlich ernst werden?
Ein ganzes Fluggeschwader knatterte hoch in die sinkende Nacht,
um den Feind zu suchen. Unheimlich stieß die See unter den
großen Vögeln — sie mußten tief fliegen, um bei dem dunstigen,
undurchsichtigen Wetter und der herrschenden Dunkelheit die
Schiffe erkennen zu können. Weithin strich über das pechschwarze
tosende Meer das Brummen der Propellerflügel. Zuweilen
wohl drangen von unten gurgelnde Laute herauf, wie der
Schlag von Schiffsschrauben. Dann schoß der eine oder der
andere der großen Vögel lautlos mit gedrosseltem Motor
hinab, um Umschau zu halten. Nichts — und die Maschine zog
weiter ihre Bahn und schraubte sich von neuem in die hangenden
Wolken. Endlich ist der anrückende Feind mit Sicherheit ausgemacht. Zwei, drei Flieger kreuzen über seinem Kurs. Die

Schiffe wagen nicht zu feuern, um keinen unnötigen Alarm zu verursachen. Gespensterhaft rauschen die Kiele durch das erregte Meer. Das Geschwader hält auf die Südspitze der Halbinsel zu.

Es ist eine gefährliche Fahrt für die Flieger. Ab und zu stößt eine Bö gegen die Tragflächen, die den ganzen Apparat erzittern macht und ihn wie einen Spielball auf und nieder wirft. Aber es heißt aushalten. Ein Pfeifen geht durch die Luft — ein langer Phosphorschweif schießt durch das Dunkel, — ein Knall und tageshell zerspringt die Leuchtkugel über dem Leitschiff. Und noch einmal, und noch einmal — sekundenlang in glänzendes Licht getaucht, zieht die Armada dahin. — — —
Um die zehnte Abendstunde liegt die feindliche Flotte in der Höhe der Suvla-Bucht. Das Oberkommando ist verständigt. Man erwartet die Landung der Truppen und zieht während der Nacht Verstärkungen heran. Überall im Küstengestrüpp liegen die türkischen Posten und spähen scharf nach den Schiffen aus. Der gigantische Leib eines großen Dampfers taucht wie ein riesiger Schatten aus der lagernden Finsternis. Er muß schon ganz nahe sein — deutlich vermeint man seinen Odem zu spüren — doch noch immer ist er in Fahrt. Die Maschinen stampfen und stöhnen — die Schraube knallt durch die Luft — er scheint leicht geladen, mit geringem Tiefgang auf Grund laufen zu wollen. Nun ein Schoren und Scharren — ein Kreischen und Ächzen — und die Spitze des Kolosses taucht dicht vor den Augen der Wachen auf. Feuerstrahlen entschießen dem schwarzen Schlot — ein paarmal noch klatschen die Schraubenflügel wie ersterbend auf das wild schäumende Wasser. Der Dampfer sitzt fest. An den Seitenwänden aber werden breite Laufstege herabgelassen — Brücken für die landenden Truppen.

Die ganze Nacht durch bringen Torpedoboote und Zerstörer Truppen an Land. Immer mehr wächst ihre Zahl. Im türkischen Hauptquartier weiß man, daß auch die Neuseeländer bei Ari Burun Verstärkungen erhalten haben. Der Feind gräbt sich noch während der ersten dunklen Morgenstunden ein. Am Nordrande der Suvla-Bucht, gegen den hart an die See stoßenden Karakol Dag, sind die englischen Brigaden im Vormarsch. Vom südlichen Ausläufer der Bucht stößt ein zweites Landungskorps gegen den Salzsee vor. Eine schwach besetzte Vorstellung der Türken auf mäßigem Hügelland liegt im Wege. Die Australier stürmen mit dem Bajonett — die Türken ziehen sich zurück. Der Weg ist frei. Mit der Front gegen die überragenden Anaforta-Hügel lagern die Truppen in Sturmstellungen.

Der taufatte, dämmernde Tag treibt die ersten Eisengrüße in ihre Reihen. Auf den Hügeln steht die türkische Artillerie und feuert ihre Geschosse in die fast schutzlose Ebene. Vom Meer herüber heulen in weitem Bogenschuß die Granaten und Schrapnells der schweren Turmgeschütze. Sie suchen die türkischen Artilleriestellungen. Hier und da spritzt die Erde auf, hier und da schlägt der schwere Eisenregen im Trommelfeuer hageldicht in die waldigen Höhen — alles vernichtend und eine einzige Sand- und Steinwüste zurücklassend. Wenn dort die türkischen Kanonen ständen! Doch sie sind nicht da — ununterbrochen speit ihr Feuer Tod und Verderben auf die Angreifer. In langen Reihen kriechen Englands Söldnerscharen über das ebene Gelände, rings um den Salzsee. Wenn die Schrapnells zu sehr auf einer Stelle lasten, springen wohl ein paar lange, hagere Gestalten zur Seite in das dichte Gestrüpp oder ducken sich in einem der wenigen spärlichen Kornfelder.

Aber unaufhaltsam rücken die Linien vorwärts. Das Feuer der Türken reißt furchtbare Lücken. — Sie füllen sich wieder — der Lauf geht weiter — gegen den Hügel. Noch immer setzen die Schiffe neue Reserven an Land. Gegen Abend treffen die Nord- und Südtruppen zusammen. Sie stehen nahezu drei Meilen von der Küste, nahe vor den Hauptverschanzungen der Türken.

Unterdessen haben auch die bei Ari Burun verstärkten Australier einen wütenden Angriff gegen die türkischen Stellungen gemacht. Ihre Linien trennt der Sari Bair und der noch höhere Koja Chemen Dagh von den um den Salzsee vorgehenden Truppen. Beides sind stark befestigte Höhen, die den Türken nicht nur ein weites Schußfeld geben, sondern auch vorzügliche natürliche Verteidigungsanlagen erlauben. Der Vorstoß hierher ist ein gewagtes Unternehmen, zumal da im Süden, im Rücken der angreifenden Truppen, ein vierhundert Fuß hohes Plateau von starken türkischen Kräften besetzt ist, die entschieden einen Flankenstoß gegen die nordwärts vorrückenden Australier ausführen werden. Ihre Wirkung gilt es daher zunächst zu paralysieren. Am 6. August in der Frühe stürmen die englischen Kolonialtruppen gegen die befestigte Höhe an, während die Indier das schmale Tiefland am Meere, das die Ausläufer der Berge frei lassen, zu besetzen suchen. Es ist eine schwierige Aufgabe und Hunderte finden dabei den Tod — aber schließlich müssen sich die schwachen türkischen Vorposten doch zurückziehen, das Gelände den Engländern überlassend, die hier ihre Sturmkolonnen gegen den Sari Bair ansetzen.

Am Abend des ersten Schlachttages sind die Engländer im Besitz der als „lonesome pine plateau" bezeichneten Hochebene. Die Redifs haben wie Löwen gekämpft. Aus ihren festungs-

artig angelegten Gräben hat sie das Feuer der Schiffsgeschütze
nicht zu vertreiben vermocht. Mann um Mann sind sie wie
unter Sichelhieben dahingesunken — Reserven waren kaum
unterwegs — der Angriff kam unerwartet. Da hieß es ausharren, ausharren bis zum letzten. Die Engländer stürmten.
Schuß auf Schuß riß tiefe Lücken in ihre Reihen — und dann,
als sie immer näher kamen, taten die Handgranaten ihr Vernichtungswerk. Umsonst — die Überzahl erdrückte die mutigen
Verteidiger. Unter der Erde, in den von rauchendem Blut
glitschigen Gräben, tobte der Kampf zu Ende. Körper gegen
Körper — mit Messern, mit Spitzen, mit Kolben. Leichen-
hügel türmten sich unter den Füßen der Ächzenden — bis das
letzte Leben in einem Graben erlosch und neue Kolonnen sich
einnisteten. Schwer waren die Verluste der Türken, entsetzlich
die der Engländer. .

In der Nacht setzten die tapferen Verteidiger zu neuem
Angriff an — katzenartig, ohne Laut schlichen sich die braunen
Anatolier die Plateauränder empor. Mit der blanken Waffe
gingen sie auf den Feind — kein Schuß wurde hörbar, ihre
Magazine waren leer und es gelang ihnen, den Abhang zu
halten. Aber die Hochfeste blieb in den Händen des Feindes. —
So waren die Vorbedingungen für die Engländer allerorts
günstig und das Hauptwerk konnte beginnen.

—— —— —— —— —— —— —— —— ——

Die Morgenstunden des 9. August bringen den Generalsturm
auf die Sari Bair Höhen. In drei starken Linien rückt der Feind
an. Engländer, Australier, Neuseeländer, Sikhs, Gurkhas,
Maoris schieben sich in buntem Gewürfel gegen das zerklüftete
Bergland. Darüber ziehen in hoher Bahn die Geschosse —
hierhin und dorthin. Es klingt wie das Brausen sturmgepeitschter

Meereswellen, die, ans felsige Uferland geworfen, donnernd heranlaufen, um schließlich mit furchtbarem Krach brandend sich zu überstürzen. Kein Schutz, kein Schirm den Angreifern — nur immer die gleiche furchtbare Eisensaat, die über ihren Köpfen zerbirst. Auf Schritt und Tritt eilt der Tod mit. Ganze Kompagnien schmelzen zusammen auf wenige Mann — Glückliche, die der knöcherne Schnitter jetzt verschont, um sie vielleicht wenige Stunden später zu holen.

Über 600 Fuß hoch steht nun die Hauptmacht der Engländer. Das Feuer der Schiffsbatterien setzt aus. Ist es zum letzten Sturmlauf? Doch die ermüdeten Truppen können nicht weiter. Es fehlt an Munition, es fehlt an Wasser. Mund und Kehle lechzen nach dem erquickenden Naß. Die Nachschübe kommen nur spärlich vorwärts. Durch Schluchten, über zackige Höhen und steile Pfade bahnen sie sich mühsam ihren Weg. Wieder laufen glühende Schlangen über die Breitseiten der Panzer, wieder treibt der unerbittliche Befehl die Halbverzagenden vorwärts. Es geht nicht. Nur die Gurkhas dürfen ein paar Augenblicke von einer seitlichen Höhe das gelobte Land schauen — das blaue Band der Engen, und tief unten im Tale das so heiß ersehnte Kilid Bahr, den Schlüssel zur Marmara — dann treibt sie das Schrapnellfeuer zurück. Ihre Flucht reißt die andern Linien mit sich. Durch den sinkenden Abend aber ziehen die gigantischen Silhouetten der türkischen Reserven, um sich mit frischem Kampfesmut auf den zermürbten Feind zu stürzen.

Die ganze Nacht durch dauert der Kampf. Die Neuseeländer sind völlig erschöpft und werden durch Territorials ersetzt.

Im dämmernden Morgenlicht gehen die Türken zu neuem Angriff über. In breiten schweren Massen drängen sie gegen den Feind. Erdrückend ist ihr Ansturm — da gibt es kein Halten

mehr — in wilder Unordnung weichen die Engländer zurück.
Bald sind die Höhen wieder im Besitze der tapferen Verteidiger.
Und immer weiter flutet ihre Schar. Ihr Sturmlauf gleicht
der Windsbraut, die in mondhellen Nächten über den Himmel
fährt und das Wolkenmeer vor sich her treibt, wie der Schäfer=
hund die zersprengte Herde. Kein Signal, kein Befehl vermag
die Siegestrunkenen zu halten. Wie dichte Klumpen kleben sie
dort oben an den Höhen — reißen sich los — springen hinab
und ballen sich zusammen — wachsen — dehnen sich in breiter,
fester Front — rennen vorwärts — Allah — Allah! Salve auf
Salve speien die Feuerschlünde in die gedrängte Masse, wohl
hundert sind am Werk und ihre Münder sind alle auf dies im
Grunde doch so winzige Häufchen Menschen gerichtet. Schwarze,
stickige Wolken legen sich über ihren Weg, schwere Erdmassen
fliegen auf, das Geröll weicht unter ihren Füßen — vorwärts
— vorwärts.

Weder die Höllenmusik der Geschütze, noch der brüllende
Eisenhagel vermag ihren Siegeslauf zu hemmen. Immer
weiter bringt ihr Allahruf ins Tal. Hekatomben liegen
dort oben starr und steif — von blind wütenden Kartät=
schen zu Boden gemäht, wie der Halm von der Sense des
Schnitters. Maschinengewehrfeuer faßt die letzten aus der
Flanke — das ist schlimmer als die Granatflut der großen
Schlünde. Die kleine ratternde Maschine kennt kein Atemholen,
kennt keine Pause — mit immer dem gleichen Takt schickt sie ihr
spitziges Blei in Tausende hastende, drängende, schiebende
Menschenleiber. Wie der Jäger mit der Flinte dem eilenden
Wilde nachfährt, so gleitet ihr Stahlrohr in der Runde — ein
Griff, die neue Richtung ist eingestellt und die Todessaat zieht
ihre Bahn. Momente wohl stockt die Schar — doch ihr Ansturm

ist unaufhaltbar. Ihr Siegesruf klingt schwach und schwächer — die langen Linien schmelzen zusammen und immer noch pfeift die Eisenflut aus einem Dutzend von Maschinengewehren in die Reihen der Überlebenden. Es ist nur noch ein Häuflein, das dort unten die tiefe Schlucht hinabjagt. Mit dem Bajonett rennt es auf den Feind. Ein letzter, ein verzweifelter Kampf. Mann gegen Mann. Noch einmal geben die englischen Soldaten Raum. Vor oder zurück — überall lauert der Tod. Nur wenige erreichen die türkischen Stellungen wieder. Aber ihr Todessturm ist geglückt. Ringsherum hat der Feind die Höhen geräumt. Der Sari Bair ist wie vordem im Besitz seiner mutigen Verteidiger.

Durch den dunklen Abend ziehen die Ambulanzen und Totengräber. Das Walfeld bringt diesmal reichlichere Arbeit als sonst. Das Gebirgsland bietet zahllose Pässe, Winkel und Buchten. Ab und zu kriecht das weiße Licht der Scheinwerfer in eine dieser verborgenen Höhlen, wo Freund und Feind friedlich nebeneinander schlummern im letzten Schlafe. Hoch oben auf dem Kamm des Berges aber, 900 Fuß über dem Meeresspiegel, richten armenische Schanzarbeiter die starken Stellungen zu neuer, erfolgreicher Verteidigung. Vier Tage und drei Nächte hat der Kampf um den Sari Bair gebauert — eine der grausigsten Schlachten vielleicht, die die Weltgeschichte kennt.

— — — — — — — — · — — — — — — —

Auch an der Suvla-Bucht war die Entscheidung gefallen. Unbezwungen blickten die Anaforta-Höhen auf das Völkergemisch zu ihren Füßen hinab. Am 8. August hatten die Engländer den Kampf begonnen und am Abend des 10. war er endgültig für sie gescheitert. Die Türken waren den englischen

Soldtruppen zuerst weit unterlegen gewesen — doch ihre
geschickte Verteilung im Gelände hatte den Feind dauernd
und so vollständig zu beunruhigen gewußt, daß die vordringen=
den Kolonnen immer wieder vor der vermeintlichen Übermacht
zurückgenommen wurden.   Überall standen türkische Land=
stürmer, von denen die Mehrzahl heimische Bauern waren, die
jeden Weg und Steg kannten, als Scharfschützen. Die Unüber=
sichtlichkeit des Bodens gab ihnen vorzügliche Deckung, und wenn
eine Kompagnie unter ihrem wohlgezielten Feuer dahinschmolz,
und die schweren Geschütze der Schiffe nach der Stelle funkten,
von wo eben noch die verräterischen kleinen Rauchwolken auf=
gestiegen waren, dann kamen sie zu spät. Der schwache Schützen=
trupp hatte sich längst in Sicherheit gebracht, um an anderm
Orte dasselbe Manöver zu beginnen. So hielten zwei Tage
erbitterten Kleinkriegs die Landungstruppen fast auf gleicher
Höhe, die sie schon im ersten Ansturm erreicht hatten. Es galt
vor allen Dingen, die Verstärkungen abzuwarten und diese
mußten bald kommen. „Die ganze Yemen=Division ist auf dem
Marsche", so ging es oft freudig durch die rastlos kämpfenden,
ermüdeten Truppen.

Am Mittag des 9. hatten die Engländer einen niederen
Hügel in Besitz genommen. Wie das Manöver geglückt? Wer
will es sagen! Die moderne Schlacht hängt von zu vielen
Zufällen ab. Jedenfalls war es ein sehr wichtiger Posten,
denn von hier waren sie wohl eine Meile in der Runde
gegen jede Annäherung gesichert. Dazu war der Hügel mit
dichtem Gestrüpp bewachsen, hinter dem schnell aufgeworfene
Schützengräben gut Deckung boten. Vergeblich hatte die tür=
kische Artillerie schon den ganzen Hügel mit Schrapnellfeuer
abgetastet — irgend etwas schützte den Feind vor zu schweren

Verlusten. Ein Sturmangriff hätte bei der todesverachtenden
Tapferkeit der Anatolier wohl glücken können, mußte aber aus
Mangel an eigenen Kräften unterbleiben. Da faßte man den
Entschluß, mit Brandbomben den Feind auszuräuchern. Ein
junger Offizier, der gestern erst zur Truppe gestoßen war, hatte
den Vorschlag gemacht. Es war ein abenteuerlicher Plan, im
hellen Sonnenlichte, von zehn verschiedenen Stellungen, mit
ein paar Mann gegen den Hügel zu rücken, um die Brand=
bomben aus nächster Nähe in das dichteste Gebüsch zu schleudern
— ein Plan, der den fast sicheren Tod derer, die ihn zu voll=
bringen suchten, bedeutete. Und doch entschloß sich der Kom=
mandeur ihn auszuführen. Mit der Munition der schweren
Stücke, die allenfalls dieselben Dienste hätten leisten können,
mußte gespart werden — die Hilfstruppen waren nicht vor
Nacht zu erwarten, und unterdessen zog der Feind seine Ver=
stärkungen hinter dem Hügel, wie hinter einem starken Fort=
gürtel heran.

„Freiwillige vor!" — der junge Oberleutnant rief es mit
Stentorstimme. Im Augenblick waren hundert — zweihundert
beisammen. „Viel zu viel. Fünfzig genügen" — fünfzig
Hünen nimmt er mit sich aus der Schar der mutigen, braunen
Gesellen. „Herr Oberleutnant!" — stramm steht der junge
Offizier in der Erdhöhle vor dem Kommandeur. „Sie sind erst
gestern abend hier eingetroffen — versprengt wie ich vermute —
hatte noch keine Gelegenheit mich näher zu informieren. Von
welchem Regiment, wenn ich bitten darf?" „Von keinem
Herr Oberst — komme direkt aus dem Lazarett — kriegsun=
tauglich sagt man dort oben." „Und?" „Nichts weiter, Herr
Oberst, — denke, daß ich doch noch zu etwas tauge und das
heute beweisen möchte." Sekundenlang schaut der Komman=

deur in das Gesicht des schönen, blassen Sprechers, über das
jetzt eine dunkelrote Welle läuft. Er ahnt wohl, daß schwerer
Kummer hinter diesen steinernen Zügen lagert, die so gar nicht
zu der ragenden Jünglingsgestalt passen. „Und sie wollen wirklich?" „Ich will Herr Oberst!" „Sie leisten ihrem Vaterlande
einen großen Dienst, vielleicht den letzten. Haben Sie noch
Bestellungen — im Falle." — Ein paar Briefe zieht der junge
Offizier aus der Tasche und händigt sie dem Vorgesetzten ein.
„Alles?" — „alles" — „Allah sei mit Ihnen!" —

Durch den glühenden Mittag klettern fünfzig braune Gestalten
zu Tal. Allen voran der junge, blasse Oberleutnant. Jede
Muskel spannt sich noch einmal in seinem strapazengewohnten
Körper — er kennt keine Ermüdung, kennt kein Halten. Nun
treten sie aus dem niedrigen Unterholz heraus — die erste
Lichtung. „Achtung!" Platt auf den sengend heißen Boden
gedrückt, spähen sie nach dem Ziel hinüber. Noch hat der Feind
sie nicht entdeckt. „Sprung auf — marsch — marsch!" Tief
gegen die braune Erddecke geneigt jagen sie dahin. Neues Holz
— das letzte.

Der Offizier sammelt die fünfzig und verteilt sie in zehn
Gruppen zu fünf Mann, die zugleich aus der Böschung
hervorkriechend, strahlenförmig den Hügel anschleichen sollen.
Jeder Mann trägt vier Brandgranaten bei sich, drei zum
Sengen, die vierte, im äußersten Notfalle, für die eigene Verteidigung. Die spitzen, doppelschneidigen Messer stecken lose
im Gürtel. „So nahe wie möglich hinankriechen — die letzten
fünfhundert Meter im Sturmlauf — nicht eher — Glück auf,
Jungens! Vorwärts!"

Der Oberleutnant setzt sich selbst an die Spitze der mittleren

Gruppe. Sie rutschen heraus über die sonnendurchstrahlte Landschaft, auf der jeder Stein, jeder Erdklumpen denen da oben sichtbar ist. Eine, zwei, drei Minuten vergehen in atemloser Spannung — dann pfeift es heran, Salve auf Salve löst sich aus dem dichten Gestrüpp. Schon fallen die ersten — der Oberleutnant blickt zurück — da liegen sechs, sieben Gestalten bewegungslos auf der flimmernden Erde und noch sind sie kaum 300 Meter aus der Deckung heraus. Nur gut, daß sie dort oben noch keine Maschinengewehre haben! Immer mehr schwillt das Feuer. Steine und Sand sprißen auf, hier und da, und immer in unmittelbarer Nähe. Der Feind schießt gut. Nur zwei Mann folgen dem jungen Offizier — drei liegen weit, weit zurück.

Es ist fast wie ein Scheibenschießen für die dort oben. Die andern Gruppen haben nicht minder gelitten. Ein schneller Blick sagt genug. Wie viele mögen noch übrig sein? „Marsch — marsch!" wie heiseres Gurgeln ist's, das über die schutzlose Ebene fliegt, und doch haben es die wenigen verstanden, die noch leben. Da und dort springt eine braune Gestalt von dem sandigen Lande und jagt in wilder Hast gegen den Hügel. Wie wenige nur! Die dort oben mögen denken, ein paar Überläufer kommen zu ihnen. Jetzt sind sie heran, Atem und Brust fliegen, und jetzt — und jetzt — Knall auf Knall — Rasseln und Prasseln — das dichte Gras schwält — das Gestrüpp knattert wie brechendes Rohr und immer noch Knall auf Knall an allen Ecken, an allen Orten. Ist denn die Hölle los? Züngelnd schießt rote Glut aus dem struppigen Kraut, kriecht empor am Gebüsch, biegt es, und bricht es, leckt hinauf an den Stämmen schlanker Zypressen — schlägt hoch, fällt ab — stickiger Rauch zieht gegen die ersten Gräben — und nun, und nun — ein einziges Feuermeer, das lodert und kracht und stöhnt und zischt und saust — die ganze Böschung brennt.

Weiter dehnt sich die Feuersglut, weiter immer weiter. Mit Entsetzen sehen es die Engländer — die roten Garben fluten heran, der Zunder läuft über den sonnenverbrannten Boden. Die Gräben sind nicht mehr zu halten — zurück. Und über den Köpfen der Weichenden, da faucht es und zischt es, da heult und pocht, da rumpelt und stampft der Kanonensang der Türken den Abschiedsgruß. Nur wenige der braven Anatolier kehren zurück — rauchgeschwärzt, blutig, zerschunden.

„Wo ist der Führer?" — fragt der Kommandant — „Dort!" Die Finger zeigen nach der Stelle, wo jetzt eine einzige, ungeheure Feuersäule zum Himmel emporschlägt. „Schwer verwundet führte er uns hinan — dann blieb er verschwunden — er wollte nicht zurück."

Am Abend lag braune Asche über der glühend heißen Kuppe. Die Engländer gaben ihr später den Namen „Schokoladenhügel." Weit zurückgedrängt stand ihre Front, wieder wie einst im Tal, den beherrschenden Höhen gegenüber. —

*　*　*

In Bijuk Anaforta sind die Feldlazarette aufgeschlagen. Unter den Dächern der Zypressen reiht sich Zelt an Zelt und alle überdeckt der Rote Halbmond. Die vier Tage sind mühevoll gewesen. Die Ärzte lehnen mit aufgewundenen Armeln müde an den weißgescheuerten Operationstischen — ein paar Schwestern, kräftige, derbe Gestalten, denen man ansieht, daß sie auch hier draußen den größeren Mühen nicht erliegen werden, reinigen die Instrumente — freiwillige Krankenträger stehen bereit, einen neuen Transport zu erwarten. Auch Heinz

Felten und der rotblonde Westfale sind unter der Schar der Harrenden. Der Operateur hat die beiden Deutschen als Assistenten hoch bewillkommnet, und da unter ihren geschickten, unermüdlichen Händen alles schnell vonstatten geht, sind sie ihm eine unentbehrliche Hilfe geworden.

Nun bringt man die Neuen. Knarrende Karren fahren draußen vor — die Zeltvorhänge werden zurückgeworfen — eine trübe Laterne leuchtet unter das Plandach des Wagens. Da liegen sie zu Hauf auf Stroh gebettet, auf dem Rücken, auf der Seite, die Brust gegen den harten Häckfel gedrückt, wie ihre schmerzenden Wunden es fordern. Viele von ihnen scheinen in tiefer Ohnmacht, manche in dumpfe Agonie versunken. Es sind alles Schwerverwundete, die man hier bringt, dreißig an der Zahl, die sie oben am verbrannten Hügel aufsammelten. Sorgsam heben die Träger die siechen Leiber auf die hölzernen Tragbahren. Ein leises Stöhnen geht durch den engen Raum. Manchmal gleitet etwas unsagbar Schweres starr und steif über die Schwelle des Karren, und das suchende Licht leuchtet in die gebrochenen Augen eines Toten.

Jetzt liegt der erste auf dem harten Holz der Operationsstatt — der junge Führer jener Tapferen. Stechender Schmerz hat ihn wieder zur Besinnung gebracht. Sein armer zerrissener Körper dehnt sich und krampft in furchtbarer Qual. „Geben Sie Schleich", sagt der Oberarzt zur Schwester. Der süßliche Ätherrausch aus der blinkenden, kleinen Maske verschlägt den röchelnden Atem.

Bedenklich schüttelt der Operateur den Kopf, auch die beiden deutschen Studenten blicken bekümmert in das noch knabenhafte Antlitz des Todwunden. Die rechte Hüftgegend ist völlig zerschmettert. Ein dicker Gaze- und Wattebausch, den der Schwerverwundete in der ersten schrecklichen Blutnot mit

aller Kraft in das rote Muskelfleisch gedrückt hat, steckt brett-
hart von geronnenem Blut durchsetzt, in der Wunde. Vorsichtig entfernt ihn der Arzt. Der Knochen ist zermalmt —
verstreut liegen die Splitter. Die Faßzange fährt hinein —
da gurgelt ein dicker Blutstrahl aus der Tiefe. Die Finger
tauchen in das warme springende Blut, um das Gefäß zu
drosseln. Endlich — Tupfer sangen das rote Naß — mehr,
immer mehr. Die Vene ist durchschlagen. Knochentrümmer und
Muskelfasern haben bis jetzt den drohenden Verblutungstod
hingehalten. Wird er die Operation überstehen? Ein paar
Hände greifen nach den Pulsen. Die fliegen und flattern, als
wollten sie erlöschen. — Das Gefäß ist abgebunden. Und wieder
Blut — dick, braunrot — zuck zuck — die Aorta spritzt — zuck
— zuck. Sie ist schwer zu fassen. Schließlich knebelt sie der
Darmfaden. Für das armselige, entfliehende Leben aber ist es
zu spät. Das einfließende Kochsalz durchströmt schon die Adern
eines Toten. — — —

Am nächsten Tage schweigen die Kanonen. Die große vier-
tägige Schlacht hat ausgetobt. Das türkische Heer begräbt
seine Toten. Auch den jungen Oberleutnant tragen sie auf
den Höhen von Bijuk zur letzten Ruhe. Weit geht von hier
der Blick — über das smaragdene Meer und die waldigen
Täler, bis hinan zu den gebietenden Bergen Anafortas, wo
hundert Feuerschlünde dräuen. Der Kommandeur ist selbst
herübergekommen, um den toten Kämpfern die letzte Ehre zu
erweisen. Einer nach dem andern sinken die Gefallenen, sorgsam
in Zeltbahnen gehüllt, in das Brudergrab. Mitten unter den
Seinen hat man dem Leutnant die letzte Ruhestätte bereitet.
Scholle auf Scholle fällt hinab auf den Heldenleib. Als die
letzten sich wölben, pflanzen die deutschen Studenten ein leuch-

tendes Steinkreuz über den Hügel, darauf steht der eiserne
Halbmond, und eine Inschrift besagt:

„Noureddin Effendi — dem Tapfersten"
Drei Salven fahren über die Totenstatt und hallen aus den
Bergen tausendfach zurück. — — — — —

* * *

Über der Konstantinsstadt brütet eine heiße Sonne. Träge
schleicht das Leben durch die Straßen. Selbst die greishaarigen
Bettler an der Sulaimanié scheinen zu träumen — ab und zu
nur hebt sich ihr Haupt — ein Laut des Flehens kommt von den
blassen Lippen — dann neigt sich der Nacken von neuem. Süße
Träume, süßes Nichtstun. Die Geschäfte stocken, der Verkehr
geht ruhig, wie nie. Sogar der große Basar schläft. Wie ein
Märchen aus ururalten Zeiten. Der Ramasan, der Fastenmond
geht zu Ende.

So wird es Abend. In den Moscheen drängt sich die gläu=
bige Menge. Mählich sinkt das Himmelsgestirn. Hier und
da scharen sich aufmerksame Zuhörer um die Vertreter der
heiligen Wissenschaften, die ihr letztes Rhamasankollegium
lesen. Schon huschen lange Schatten durch die hohen Bogen=
fenster, nur kleine Fleckchen tauchen noch ins purpurrote Licht.
Überall hocken die frommen Moslemin, vor sich ein Körbchen
mit Brot und Datteln, Feigen oder Oliven. Reichere sitzen
auch hinter einem schweren, schön ziselierten, speisegefüllten
metallenen Teller, den ihnen ein Sklave hierher trug. Alle
erwarten den Sonnenuntergang — die Zeit des Fastenbrechens.

Vom Minarett der Hagia Sophia schwingt eine große,
blutrote Fahne, und wenige Sekunden später dröhnt der er=

lösende Schuß über die harrende Stadt. Ein kurzes Dank-
summen geht durch die Schar der andächtigen Beter — dann
greifen tausend Hände nach der bereitstehenden Labung. Der
gewaltige Gottesraum gleicht einem Lager fröhlich schmau-
sender Menschen. Aber nur knappe Zeit dauert das frohe Mahl.
Von den Minaretts tönt der Esan (Aufruf) zum Salat des
Sonnenunterganges. Brünstig rühren die braunen Stirnen
den teppichbelegten Boden. Allah! — Allah! —

Der fromme Dienst ist zu Ende. Eine Welle der Unruhe
läuft durch die Menge der Andächtigen. Wird heute noch der
frohe Himmelsbote erscheinen, wird heute noch der Neumond
allen Gläubigen das Fest des ersten Schawwal schenken? Vor
den Türen, unter den Fenstern, überall, wo ein Blick auf das
sterngefüllte Firmament sich bietet, stehen wartende, schauende,
gestikulierende Menschen. Man hofft, man harrt, man wünscht,
wie Christenkinder, die der Heilsnacht warten. Endlich erscheint
die silberne Sichel über dem dunkelnden Osten. Das Ende des
Ramasans ist gekommen. Wie ein Lauffeuer geht die Botschaft
durch die Gassen. Die eben noch so tote Stadt wird lebendig.
Es ist, als ob die solange unterdrückte orientalische Lebhaftigkeit,
in dieser einen Nacht von neuem geboren würde. Aus den
vornehmen Wohnstätten reicher Türken strömt die Schar der
Diener, um die prächtigen Teppiche zu reinigen und die letzten
Einkäufe für das bevorstehende Fest zu besorgen. Überall
schieben sich kaufende, feilschende und schwatzende Menschen.
Die Moscheen sind hell erleuchtet. Der Duft von Wohlgerüchen
und Süßigkeiten zieht durch die offenstehenden Fenster. Die
Läden der Haarscherer sind überfüllt, jeder will noch vor dem
morgigen Tage den im Ramasan wild gewachsenen Schopf
rasiert haben. In den ärmeren Vierteln, wo der Zudrang be-

sonders groß ist, dient die offene Straße als Werkstätte für alle
möglichen Verrichtungen. Dort sitzt eine Reihe bejahrter
Araber mit Schröpfköpfen auf dem Rücken, um sich das „über-
flüssige Blut" abzapfen zu lassen — denn mancher wähnt noch
heute, er würde ewigem Siechtum verfallen, wenn er sich nicht
wenigstens einmal im Jahr des „faulen Blutes" entledige.
Unterdessen wird in den Häusern der Empfangsraum festlich
gerichtet, auch der Eßsaal muß für das morgige Frühmahl bereitet werden. So vergeht mit Vorbereitungen, in gehobener
Stimmung, ein gutes Stück der Nacht, und erst die frühen
Morgenstunden sehen die lebhaften Straßen sich leeren und
Stambul zur Ruhe kommen.

Schon früh tönt der Esan des ersten Schawwal über die schlafende Stadt. Noch kriecht erst der flüchtige Schein des aufgehenden Tagesgestirns über die niederen Zinnen der Theo-
dosianischen Mauerfeste, da beginnen sich schon die Gotteshäuser zu füllen. Wer nicht im Ramasan gelernt hat, die Nacht
zum Tag und den Tag zur Nacht zu machen, der ist frühzeitig
unterwegs, um sich einen guten Platz in der Moschee zu sichern.
Dem Calat der Morgendämmerung folgt fast unmittelbar der
zweite Aufruf zum Calat des Festes. Und nun ergießt sich die
Menge der Gläubigen in die Gotteshäuser, die nicht imstande
sind, ihre große Zahl auch nur halbwegs zu fassen. In präch-
tigem Festgewande nähert sich der ehrsame Bürger, Uniformen
funkeln, Turbane in allen Farben leuchten durch das halb-
dunkle Heiligtum.

Die Festpredigt dauert diesmal länger als sonst. Von den
Darbanellen ist eine neue Siegesnachricht eingetroffen und der
Geistliche oben auf der reichgeschmückten Kanzel spart nicht
mit anerkennenden Worten für die Großtaten der mutigen

Brüder dort unten. Langsam leert sich das Gotteshaus —
ein feiner Klang hier und dort durchbringt die hohe Halle —
die fromme Gemeinde opfert für das Wohl der Verwundeten.
Die Straßen sind gedrängt voll von Menschen. Hin und her
fliegt der Festesgruß. „Zu den Glückseligen möget ihr gehören"
— „Ja, bei Allah — ihr und wir und Mohammeds ganze Gemeinde."

In den Häusern treffen sich die Besucher. Kaffee, Zuckerwerk und balsamische Näschereien gehen im Kreise. Rosen-
wasser wird kredenzt auf silbertauschierter Schale. Intimere
Freunde werden auch wohl zum Festmahl geladen und schmausen
von dem Hammel, den der fromme Wirt vor kurzem dem Allmächtigen zum Opfer darbrachte. So vergeht der erste Fest-
tag. Wie ein neues Jahr eilt er herauf über das bald herbstende
Laub. — Beiram! Vor zwölf Monden rüstete man sich zum
Kriege, vor zwölf Monden durchtobten die wilden Stürme
der Parteileidenschaft den Khalifenstaat — damals glich die
Hohe Pforte dem Versammlungssaal der Diplomaten aller
Großmächte, und die Wage schlug bald hierhin, bald dorthin —
vor zwölf Monden ging noch das Gespenst der Uneinigkeit
durch die Reiche des Großherren, und heute — ein einiges
Volk, soweit die türkische, die arabische, ja vielleicht die Perser-
zunge redet — Brüder alle Moslemin, die ihr Blut freudig
hergeben für Allah und die großen Ziele seines Gesandten.
Und wie hat sich dies Volk bewährt? Tapfer bis zum Äußersten,
selbst von den Feinden anerkannt und bestaunt — kriegerisch wie
zu Zeiten des zweiten Mohammeds — weiß es in äußerer
und innerer Stärke den angestammten Besitz auf Kleinasiens
Boden und das letzte, kostbarste Gut an Europas alternden
Gestaden sich zu eigen zu halten. — —

An den süßen Wassern Asiens und Europas aber singt die
Fiedel — rauscht froher süßer Gesang über die abendlichen
Fluten. Die Türkinnen feiern ihr Fest. — Stambul lebt —
lebt wie in friedvoller Zeit.

＊ ＊ ～

Über die Fahrstraße, die zur Zitadelle von Brussa führt,
schiebt sich eine schweigende Volksmenge. Ernst fast, möchte
man sagen, sind die Gesichter. Neugier prägt sich auf manchen
Zügen, doch gemessen, als ob niemand sie sehen, sie ahnen
dürfte. Von unten, über den ansteigenden Weg, bringt tiefer,
dumpfer Klang. Näher und näher kommen die Schallwellen.
Schaurig singt die Da'ul. Jetzt ist sie heran. Klagend geht ihr
Lied — sie singt eines Menschen Werdegang — sie singt eines
Menschen Todessang. Not, Not, schrecklichste Not. Ein trauriger Zug — man führt den Verräter zur Richtstatt. Voran
Militär, in der Mitte der Deliquent, den katholischen Geistlichen
neben sich, und abermals Militär. In weißer Büßertracht
schreitet der Verurteilte dahin. Seine zitternden Finger fahren
oftmals über die angstvollen Augen, als wollten sie dort etwas
verwischen. Dann beugt sich der Geistliche zu ihm und beut
ihm den Gekreuzigten zum Kusse. Unter dem Volk geht ein
Flüstern — „ein Grieche!" — Tod — Tod — Tod — Tod singt
die Da'ul. — — —

Dort wo die alten Mauern Theodor Laskaris bröckeln, erhebt
sich der Galgen, ein einfacher Dreibaum, an der Spitze mit
dicken Stricken zusammengehalten. Man ist am Ziel.

Des zitternden Menschleins glasige Augen blicken stier in den
blühenden Tag. Sie vermögen die Herrlichkeit nicht mehr zu
fassen, nicht Abschied zu nehmen vom Leben. Der Geistliche

flüstert Gebete — mechanisch formen die Lippen des Verurteilten die Worte nach. — Starke Fäuste greifen zu. — Wenige Minuten später sinkt der Kopf des Gerichteten zur Seite.

Die Menge strömt heran, um das Urteil zu lesen. „Onofrio — des Hochverrates schuldig" — — — Weiter kommen die Nächststehenden nicht, die Wachen treten dazwischen. Doch man ist auch so zufrieden, und eifrig schwatzend und gestikulierend zerteilt sich die Masse.

⚓ ⚓ ⚓

In der Abenddämmerung läuft bei Mudania ein englisches Unterseeboot, das einer grünen Lichtscheibe mit schwarzem Kegel nach, auf ein schaukelndes Fährboot zuhält, in die ausgespannten Drahtnetze und hakt sich mit dem Steven so fest in die Maschen, daß an ein Entkommen nicht zu denken ist. Die ganze Besatzung mußt sich der bereitstehenden Küstenwache gefangen geben. Dem Kommandanten aber liest man das Urteil jenes Sünders, den man dort oben bei den alten Mauern gerichtet hat, in seiner ganzen Ausführlichkeit vor, und ein kleiner grüner Stander mit schwarzem Kegel liegt neben dem Offizier, der ihm den Degen abnimmt.

– – – – – – – – –

Die Geschichte noch einer andern Verräterei durchläuft um dieselbe Zeit die Hauptstadt. Die jungtürkische Partei „Einheit und Fortschritt" sollte von den Verschwörern gestürzt und damit der bestehenden Regierung ein empfindlicher Schlag zugefügt werden. Ein Eingeweihter, Midhat Effendi, hatte den ganzen Plan aufgedeckt. Die Verschwörer waren nicht zu fassen. In London, in Paris, in Konstanza, Saloniki und

Rom hatten sie ihre geheimen Schlupfwinkel. Ein Espagnole, der kürzlich aus Stambul entwichen war, sollte die Mine zum springen bringen. „Eurico", wurde er in den Geheimpapieren genannt, die man nahe der russischen Botschaft, in Pera fand. Prinz Sabaheddin, Venizelos und Scheriff Pascha waren seine Parteigänger.

Elftes Kapitel.

Um die Wende des Julimondes rüstete sich Rahmi zur Abreise. Ihm war vom Kriegsministerium der ehrenvolle Auftrag zugekommen, dem Oberbefehlshaber in Erferum als Adjutant zur Seite zu stehen, und da er gut Armenisch sprach, auch von Jugend her den Pontus und das wilde Kaukasusland kannte, sah er mit Freuden seiner neuen Bestimmung entgegen. Noch in letzter Stunde hatte er einen Begleiter gefunden. Vor wenigen Wochen war der junge Abd-Allah ben Sfadak, ein Sohn seines väterlichen Freundes, von der Züricher Hoch= schule, wo er seinen medizinischen Studien obgelegen hatte, als fertiger „Doktor" in die Heimat zurückgekehrt. Auf einem der Kriegsschauplätze gedachte er seine Wissenschaft in den Dienst des Vaterlandes zu stellen. Es war günstig, daß gerade Rahmi zur Front abging. Ben Sfadak, der ein allgemein geachteter Mann in Stambul war, erlangte unschwer für seinen Sohn die Erlaubnis, als freiwilliger Arzt mit hinauszugehen. So

konnte er denn unter der Obhut des erfahrenen Offiziers die
Reise nach dem Kaukasus antreten. Lange hatte Rahmi geschwankt, ob sie den Wasserweg durch den Pontus oder lieber
den beschwerlicheren Landweg einschlagen sollten. Schließlich
mußte die größere Sicherheit der Landstraße den Ausschlag
geben. An einem der letzten Julitage führte sie die „Anatolische"
nach Angora.

In schwüler Nebelluft verließen sie Haidar Pascha, in Angora
empfing sie lastende Kälte unter dem sternklaren Firmament.
Hier stand schon alles bereit — die Pferde waren an Ort und
Stelle und zwei Sabtieh meldeten sich zum Dienst. Am folgenden Morgen sollte die Reise weiter gehen. Ein spätes Tele-
gramm befahl Rahmi über Siwas und Tokat nach Amassia,
von wo später, in Gemeinschaft mit dem Hauptquartier, der
Vormarsch nach Erserum angetreten werden sollte. So war
man denn gezwungen, im Tale des Kisil Irmak den beschwerlichen
Weg nordwärts über Tokat nach der alten Königsstadt zu ziehen.
Durch Furten, über langgestreckte Hügelketten, auf Engpässen,
zwischen Schluchten und wildem Gestein, suchten die schmäch-
tigen Reittiere in bewundernswerter Ausdauer ihren Weg.
Man zog nicht in Eilmärschen. Hin und wieder trafen die
Reiter auf rastende Truppen, die alle auf dem Vormarsch
gegen den Kaukasus, bald nach Trapezunt, bald nach der per-
sischen Grenze und dem Wilajet Wan, dem Schauplatz des
letzten, grausamen Armenierüberfalls, unterwegs waren. Dann
gab es ein paar vergnügte Stunden im Offizierszelt. Rahmi
wurde beglückwünscht. Er ließ sich Bericht erstatten über
Bestimmungsort, Stärke und Gesundheitszustand der Truppen
— und weiter ging die Reise. Für den Adjutanten des Ober-
befehlshabers fand sich überall eine Nachtherberge und gutes

Quartier — hundert Türen öffneten sich, die andern vielleicht
verschlossen blieben. Abd-Allah genoß die Annehmlichkeiten,
zu denen das Ansehen seines Begleiters führte, restlos mit und
wußte sie voll zu würdigen.

Am elften Tage kam man in Siwas an. In strömendem
Regen hielt die kleine Schar an einem Sonntagabend über
die schwankende Kisil-Irmak Brücke ihren Einzug in die alte
Stadt. Die Straßen waren aufgeweicht von dem reichlichen
Naß und glichen eher Morästen, denn Verkehrswegen.

Das Leben in Siwas ist für gewöhnlich tot und seine fast
65000 Einwohner nähren sich schlecht und recht vom Handwerk
und Kleinhandel wie in einem mittelalterlichen deutschen Land-
ort. Jetzt allerdings lag eine starke Garnison in der Stadt, und
unaufhörlich kamen neue Truppen, die Quartier beanspruchten,
da mußte denn Siwas erwachen aus seinem vielhundertjährigen
Traum. Einst, ja einst, war es anders gewesen. Im vierzehnten
Jahrhundert galt Siwas als einer der wichtigsten Brennpunkte
des Handels in Kleinasien. Damals zählte seine Bevölkerung
100000 Seelen, und von Mittelasien, von Indien, durch Persien
und Mesopotamien, kamen die Karawanen hierher, um weiter
auf bekannten Straßen den Weg zum Pontus oder Mittelmeer
anzutreten. Dann fuhren Tamerlans Mongolenhorden mit
Feuer und Schwert über die blühenden Städte des jungen
Osmanenreiches. Zwanzig Ellen hohe Mauern schützten die
Stadt, und eine heldenmütige Besatzung verteidigte ihren Besitz. Aber Timur untergrub die gewaltigen Schutzfesten, legte
Feuer an die Holzstützen der Minengänge und drang durch
weite Breschen in das stolze Siwas. Tausend Kinder mit
Koranen in den Händen nahten dem Sieger um Gnade flehend,
doch Timur ließ sie von den Pferden seiner Reiter zerstampfen.

Erthogrul, der letzte Sultanssohn, fiel selbst in die Gefangen-
schaft des fürchterlichen Mongolenfürsten — und der Henker
war sein Schicksal. Verwüstet, zerstört, geknechtet lag Siwas
unter der Mongolenknute. Von diesem Schlage hat es sich
nie wieder erholt.

Von weitem bietet Siwas den Anblick eines schmucken Berg-
städtchens. Zwischen wellenförmigen Kuppen schauen die kleinen
Fachwerkhäuschen mit den vielen Fenstern und den weiß-
getünchten Aufbauten malerisch über das grünwogende Hochland. Hinter ihnen verstecken sich die braunfarbenen Lehm-
hütten der armen Armenierbevölkerung wie hinter einem
schönen leuchtenden Schirm und werden völlig überdacht von
den ragenden Kunstbauten der Regierungskioske, die in
jüngster Zeit hier entstanden. Allüberall Ruinen aus großen,
längst vergangenen Tagen. Die Seldschukenfürsten haben der
Stadt die Zeichen ihrer Kultur mit unauslöschlichem Stempel
aufgedrückt. Nach sieben Jahrhunderten noch funkeln die
Fayencen der prächtigen Gök-Medresseh (Theologieschule) in
demselben satten Kobaltblau wie zur Zeit der Erbauung, und
die Ritter des dritten Kreuzzuges mögen schon die ragenden
Kapitäle, und blauenden, zierlichen Minaretts bewundert haben,
die noch heute das Auge entzücken. Jetzt steht auch Siwas unter
der Einwirkung des Krieges. Vor den Schulen und altertümlichen
Palästen klingen die schweren Schritte der Wachen — Linien-
truppen, Fuhrparks, Geschütze, Munitionstransporte auf allen
Wegen, von denen die hauptsächlichsten in kurzer Zeit gut und
gangbar hergerichtet sind. Die Cafés, sonst nur im Winter
besucht, wenn die schwere Feldarbeit getan, und die Ernte unter
Dach und Fach gebracht ist, sind gedrängt voll. Fröhliches
Lachen, Scherzen, auch manch heimatliches Lied, ob vom hohen

Taurus, ob aus dem heißen Sandmeer Arabiens, ob von des Bosporus Gestaden, wer möchte es sagen, klingt schwer und tragend durch die würzige Tabaksluft.

Die Stadt ist Hauptetappenort. Von hier führt die schnellste Verbindung nach Ersinghan und Erserum, das schon im Operationsgebiet liegt. Post auf Post knirscht und stampft über die sonst so ruhigen Straßen. Die Sabtieh reiten mit schußbereitem Karabiner neben der roten Halbmondfahne, die stolz aus dem Zeltdach jeder Araba im Zugwinde knattert. In den zahllosen Telegraphendrähten summt und brummt der unaufhörlich fallende Regen und sein Raunen klingt wie endlose Botschaft, die hin und her — hin und her durch die feinen Kupferdrähte huscht.

Der Kommandant empfing die beiden Offiziere auf das liebenswürdigste. „Meine Herren, ich kann sie leider nicht lange hier bewirten — der General wünscht seinen Adjutanten in spätestens siebzig Stunden zur Stelle." Das war eine schwere Aufgabe für die ermatteten Reiter. Todmüde kam man an, und nun blieben kaum wenige Stunden zur Rast. Doch der türkische Offizier kennt keine Ermüdung, wenn das unabwendbare „Muß" befiehlt. Rahmi wollte nur den schwächeren Freund zurücklassen, aber auch Abd=Allah wies das Anerbieten weit zurück. Gemeinschaftliche Strapazen zu überstehen ist immer leichter, als allein, meinte er und versprach, zur festgesetzten Stunde bereit zu sein.

Im Morgengrauen des nächsten Tages verließ die kleine Karawane die noch schlummernde Stadt. Zwei neue, wegkundige Sabtieh ritten an der Spitze. Als man die Vorposten passierte, brannten noch die Lagerfeuer. Ringsherum auf Hügeln und Höhen drängten sich braune Gestalten an die

wärmende Glut — weit in der Ferne glomm hier und da ein
winziges Licht durch den heraufziehenden Tag — bis an die
Bergesränder hatte die Stadt ihre Fühler vorgestreckt, um frühzeitig das Nahen eines Feindes zu künden. „Sind wir denn
hier schon in der Gefahrzone?" wandte sich Abd-Allah, den die
ausgesprochenen Vorsichtsmaßregeln überraschten, an Rahmi,
„ich denke, daß noch kein Russe über Id hinaus den Fuß auf
türkischen Boden gesetzt hat?" „Gewiß nicht," entgegnete der
Angeredete — „unsere Truppen haben vielmehr in letzter Zeit
den Angriff erfolgreich über die Grenzen des heiligen Moskowiterreiches hinausgetragen. Doch der vielgepriesene rollende
Rubel beginnt schon hier seine Rolle zu spielen. Verräterei
lauert im Rücken, lauert in der Flanke. Die nächtlichen Über-
fälle der Armenier und Nestorianer in Zaitun und Wan haben
uns sehend gemacht. Der russische Generalkonsul in Erserum
hat nicht umsonst sein Gold über die Hochlande Armeniens
gestreut. Das Stammland der Indogermanen ist heute eins
der gefährlichsten Gebiete im Kampf gegen das übermächtig
anwachsende Slawentum geworden. Dort stehen unsere Heere
faktisch wie in einem Herenkessel, und ich bin sicher, eine Schlappe
an der Front, würde den Rückzug durch Feindesland bedeuten.
Deshalb halten wir hier starke Truppenmassen und schieben sie
mählich gegen die armenischen Gebiete immer mehr vor. Sie
sollen weniger zur Verstärkung der eigenen Kampflinien, denn
zur Rückendeckung unserer Heere dienen. Mehr denn je stehen
wir hier heute auf fremdem Boden. Nur eine starke Türkei,
die der Russen siegreich Herr wird, vermag jetzt noch die Grenz-
provinzen dem Szepter des Padischah zu erhalten. Viel zu
lange haben wir uns der vermeintlichen Macht der russischen
Nachbarn gebeugt. Die Städte und Dörfer, die wir durchziehen,

und die abgeschnitten von jeder Verbindung, wie kleine un=
bedeutende Landplätzchen, ohne Unternehmungslust, ohne heran=
wachsenden Gewerbefleiß, ihr Leben fristen, könnten heute
blühen und gedeihen, wenn Bahnen zum Meere führten, wenn
gute Straßen an Stelle der mühseligen Kamelpfade das Land
durchzögen. Ein fruchtbarer Garten zwischen zwei Meeren
gelegen, erstirbt, weil es dem herrschsüchtigen Nachbarn gefällt.
Deutsche und belgische Unternehmungen hatten den Bahnbau
geplant, und immer mußte Rußland, oder sein neuer Ver=
bündeter England, in letzter Stunde einen Riegel vorzuschieben.
In Stambul hat man zu lange geschwankt. Das Alttürkentum
war reif zum Fall und glaube mir, erst die junge Türkei wird
erreichen, was der alten für immer versperrt bleiben mußte.
Unter dem neuen Regime ist der alte ‚kranke Mann‘ gestorben,
und ein neuer, lebensfähiger, das Jungtürkentum im Bunde mit
Deutschland und Österreich, ist an seine Stelle getreten. Was
die Zukunft bringt, kann man nur ahnen — aber eins ist ohne
Frage, gelingt es uns, vereint mit unseren Verbündeten, die
gemeinschaftlichen Feinde endgültig aufs Haupt zu schlagen,
so wird auch für ganz Kleinasien eine neue Zeit der Blüte an=
brechen, und von Trapezunt bis hinab gen Tarsus wird das alte
Anatolien auferstehen, in neuer Frische und in neuem Geiste.‘‘
Rahmi hatte überzeugt und mit Wärme gesprochen. Vorne
sangen die Sabtieh ihre elegischen Weisen zu dem klappenden
Huftritt der Pferde. So zog man durch die jungfrische Morgen=
luft Tokat entgegen.

Die Straße war trotz der frühen Stunde schon recht belebt.
Aus den umliegenden Dörfern schob sich die lange Reihe der
Bauernkarren auf der uralten Karawanenstraße gen Siwas.
Militär war wenig unterwegs — nur hin und wieder begegneten

die Reiter wohl einer Ordonnanz, die in scharfem Trabe einem der
vorgeschobenen Lager zueilte, oder ein Zug Pioniere, mit
Wegearbeiten beschäftigt, war am Werk und ließ Hacken und
Spaten durch die morgendliche Stille erklingen.

Als die Sonne emporstieg, mehrte sich auch das Leben auf
der Landstraße. Häufiger denn sonst trotteten die langen
Wagenzüge vorbei. Die schnell sich steigernde Hitze ermüdete
die schwerfälligen Zugtiere und ließ sie nur langsam vorwärts
kommen. An jedem Wassertümpel, an jedem noch so wasser=
armen Schlammbecken bot sich ein sonderbares Bild. Dort hielt
Zug um Zug, und die plumpen Büffel wühlten sich mit Wohl=
gefallen in das schlammige Naß, das ihnen häufig bis zum
Kopf reichte. Neugestärkt, über und über mit klebrigem Schlamm
bedeckt, zogen sie dann gemächlich ihres Weges weiter, bis eine
neue Furt, oder ein neues Rinnsal, sie wiederum erfrischte. Die
Bauern aber wurden nicht müde, ihnen dies Labsal immer und
immer wieder zu gewähren, und wie nirgends so deutlich sah
man hier, daß im Orient die Zeit noch nicht zu Geld wurde.

Der bleiche Mond stand schon hoch am Himmel, als die letzten
Hügelrücken vor Tokat sich unter den Hufen der ermatteten
Araber streckten. Die Sabtieh hingen nur noch auf ihren Rossen
und es bedurfte ab und zu des energischen Zurufes Rahmis, um
sie aus ihren Träumerein aufzuschrecken. Hell, fast wie am
Tage, im Milchglanz der weißen Mondscheibe, lag der Weg
vor ihnen. Zackige Fichtenstämme warfen ihre langen, schmalen
Schatten über die stille Straße, nahe im Norden hoben sich
die gigantischen Umrisse dunkelbewaldeter Berghöhen, aus den
von magischer Lichtfülle überschütteten Tiefen. Jetzt bogen die
Reiter in eine enge Schlucht. Abschüssig dehnte sich der Weg
— ein dichtes Blätterdach wölbte sich über ihren Häuptern, so

daß die Lichtstrahlen nur mäßig hindurchfielen. Über dem
Boden spielten helle Reflexe, wie in einem Garten ritt man
dahin. Irgendwoher klang noch der klatschende Ton eines im
Strudel sich drehenden Mühlenrades. Man mußte in der
Nähe menschlicher Siedelungen sein. Nun wurden auch die
schillernden Fluten eines Flüßchens sichtbar, in dem sich der
milde Vollmond zu baden schien. Häuser schlossen sich an Häuser
zu beiden Seiten des Weges. Über massiger Klippe, die wild
zerrissen zum Flusse vorspringt, fiel der Schein auf alte gigan=
tische Bauten, deren scharf in die Helle tauchende Mauern wie
wachend über dem schlafenden Städtchen zu thronen schienen.
Hier war es, wo Mohammed I. den Scharen Timurs den letzten
Widerstand entgegensetzte und von wo er die Neueroberung des
Reiches begann. Hier stand die Wiege des zweiten, des neuen
Türkenreiches. Man war in Tokat. — — —

Zwei Tage später trafen die Reiter in Amassia ein. Die
achtundsechzigste Stunde seit ihre Abreise von Siwas war an=
gebrochen, als sie die gelbliche Strömung des Jeschil=Irmak
unter sich donnern hörten. Ein herrliches Bild zeigt die alte
Hauptstadt des pontischen Reiches dem nahenden Fremdling.
Auf fruchtbarer Talsohle, umschlossen von mächtigen Höhen=
zügen, durch die der Fluß sein spiegelndes Bett gräbt, gleicht
der ehemalige Königssitz mit seinen Kuppeln und Türmchen,
mit seinen schneeigen Häuschen und den klappernden Schöpf=
rädern über den leicht sich kräuselnden Wellen, dem Riesen=
spielzeug, das eine Titanenhand in diese gesegnete Schlucht
gesetzt hat. — — —

Am Fuße der Königsgräber, die in den harten Fels gehauen,
den Burgberg hinanstreben, lag das Hauptquartier. In einer
niedlichen Fachwerksbehausung, deren zahlreiche Fenster im

auffallenden Sonnenschein wie Heliographenspiegel zuckten und
blitzten, wohnte der Kommandierende. In der Nachbarschaft
hatte der Stab sich eingerichtet. Herrschende Unruhe auf Weg
und Steg deutete auf die nahe Abreise des Generals. Tags
zuvor war ein großer Barackenbau für Leichtverwundete hier
eingeweiht worden. Verpflegungsdepots und Feldpoststa=
tionen waren wie aus dem Erdboden gewachsen. Der Kom=
mandierende tat ganze Arbeit. Wie Siwas auf dem Land=
wege von Angora nach Erserum seine besondere Bedeutung
hatte, so galt Amassia als hervorragender Etappenort für den
Nachschub zu Wasser über Samsum. Ohne Frage wollte der
hohe Militär sich auch die Verbindung durch den Pontus auf=
rechterhalten.

Der General, ein breitschultriger, martialisch blickender Herr,
in den besten Mannesjahren, dessen langer, schwarzer Schnurr=
bart an den Spitzen kühn in die Höhe gewirbelt war, empfing
seinen neuen Adjutanten mit freundlichem Handschlag. „Das
ist der Krieg!" sagte er, und schaute ermunternd in die ab=
gespannten Züge des vor ihm Stehenden. „Sie haben Ihre
Aufgabe vorzüglich gelöst, Herr Hauptmann — ich beglück=
wünsche Sie. Vorläufig mögen Sie sich ein paar Stunden der
Ruhe gönnen. — Doch nein, einen Augenblick" — er hielt den
schon Abtretenden zurück. „Sagen Sie, wie fanden Sie Siwas
— wie steht die Verpflegung in Tokat — treffen die Proviant=
kolonnen rechtzeitig ein — sind Umtriebe unter der seßhaften
Bevölkerung bemerkt worden?" Fragen auf Fragen. — Rahmi
war gut unterrichtet. „Ich danke Ihnen — meine Adjutanten
müssen alles wissen — halten Sie die Augen offen und den
Mund geschlossen. Nur ich, verstehen Sie Herr Hauptmann,
nur ich bin der Vertraute Ihrer Berichte — nichts Schriftliches,

mündlich zu jeder Stunde, zu jeder Minute. Alles ist wichtig —
nichts darf übersehen werden." So sprach der Gestrenge.
Die Stunden waren verflogen. An Schlaf war nicht zu denken.
Der Aufbruch stand unmittelbar bevor. „Ruhen Sie im Kraft=
wagen", hörte der enteilende Rahmi seinen Kommandeur noch
rufen. Dann flog ein Fenster zu — ein paar Redifs hoben
schwere Gepäckstücke in die bereitstehenden Automobile, die
knatternd und zitternd, wie edles Vollblut, ihrer Herren harrten.
Rahmi hatte Abd=Allah aufgesucht, der gemächlich zwischen
zwei Heubündeln schlief „Wir müssen weiter", rief er ihn an.
Mit kräftigem Schütteln brachte er den fast Willenlosen auf die
Beine. Zehn Minuten später jagten die schnellen Hundert=
pferder über die gut gepflegten Landstraßen des Sandschaks
Amassia, Erserum entgegen. — — —

*　　*　　*

Acht Tage war man nun bereits in der großen Lagerfeste
mitten im armenischen Hochlande und noch hatte sich nichts
von Bedeutung ereignet. Den jungen Arzt hatte es in die
Gefechtslinie getrieben. Bei Kara Urgan wurden neue Feld=
lazarette angelegt. Hier erwartete man den Ansturm des Fein=
des, der von Sarikamisch gegen die Grenze vorrückte. Abd=
Allah war mit Leib und Seele bei der Sache. Er brannte darauf,
den Krieg aus nächster Nähe zu sehen. Doch nichts rührte sich.
Die Russen hatten offenbar zu gute Nachricht von den starken
türkischen Kräften, die von Olty hinunter bis Alasgird und
Kara Kilissa in starken Stellungen lagen.

Rahmi war in ständiger Telephonverbindung mit dem
Freunde, und jeden Abend, wenn der Draht ein paar Minuten
frei ward, klang derselbe stereotype Satz an sein Ohr: „Nichts

Neues." Die schweren Kämpfe bei Olty und Sarikamisch
hatten das Russenheer entschieden so sehr geschwächt, daß es
im Augenblick an keine Offensive denken konnte und mit Ge=
duld auf die Offnung der großen Reservedepots in Kars war=
tete, aus denen wie es hieß, eine ganz neue Armee den Feind
vom letzten Fuß russischen Bodens vertreiben werde.

Tag für Tag warteten die Verteidiger auf den Feind und er
kam nicht. Für die türkischen Soldaten bedeutete das eine
harte Geduldsprobe. Der tapfere Anatolier stürmt lieber, als
daß er im kalten Berggelände müßig herumliegt. Oft ging
Abd=Allah in die Gräben. Er hatte hier und da Bekanntschaft
geschlossen und fand Befriedigung in dem frischen, ungebundenen
Leben der Truppen und ihrer Führer. Sein erster Blick galt
stets dem Geländespiegel — aber der änderte sein Bild nicht —
kein Russe stand im Tal oder auf den angrenzenden Höhen.

Am fünfzehnten Tage kam Rahmi. Von Vordus her waren
starke Infanteriekolonnen im Anmarsch auf Sanamer gemeldet
worden. Da sollte das Tal seine Belastungsprobe bestehen.
Gelang es den Russen hier durchzubrechen, so lag der Weg nach
Korosan und damit auf türkisches Gebiet offen. Der Kom=
mandant hatte seinen Adjutanten geschickt, um den im anlie=
genden Gelände lagernden Reservetruppen den Befehl zu
übermitteln, möglichst nahe in Alarmstellung gegen das be=
drohte Tal vorzurücken. Zum ersten Male sah Rahmi hier
eine mit allen neuzeitlichen Mitteln ausgebaute Talsperre. —
Graben auf Graben zieht sich durch das wiesige Unterland —
bald eisenbetoniert, bald aus Erde mit Steinen und Holz auf=
gebaut. Sie alle sind für stehende Schützen eingerichtet, und die
kleinen schwarzen Mündungen unter der Brustwehr über=
schauen das ganze Vorland. Über mannshoch sind die Lauf=

gräben, die in großen, zackigen Linien zu den Alarmplätzen der Truppen führen. Die meisten sind maskiert, mit Gestrüpp, mit Rasenziegeln, je nachdem die Natur der nächsten Umgebung es erfordert. Bis an die Bergseiten laufen die tiefen Mulden — springen dann vor, klettern hinauf in den zackigen Fels. Wie riesige Schwalbennester kleben sie an den steilen steinigen Hängen. Stufe auf Stufe schieben sie sich hinauf — immer höher, höher, und auf jeder Stufe steht ein Scharfschütze. Revolverkanonen, Maschinengewehre, sitzen hier oben im festen Boden wie eingewurzelt. Splittersicher sind die Unterstände und Beobachtungsposten gedeckt. Da ist kein Winkel auf der tiefen, breiten Talsohle, der von hier nicht bestrichen werden könnte. Auf der andern Seite das gleiche Bild — eine ideale Anlage für konzentrisches Massenfeuer. Nur die großen Geschütze fehlen — die hat man hoch in den Bergen eingebettet. Sie werden das erste Wort sprechen. Die Artillerie hat schier Unglaubliches geleistet. — Hundert Mann und mehr haben sich vor die schweren Feuerrohre gespannt und sie über enge Geröllpfade, auf denen der Stein unter den gleitenden Füßen jeden Augenblick wegzurollen droht, auf die Kuppen geschleppt. In der Vorstellung blinken ein paar Drahtverhaue. Dort liegen die Wolfsgruben und Minenfelder, die den breiten Straßenzug verriegeln.

Am nächsten Morgen ziehen die Russenscharen heran. In der Frühe sind sie übers Gebirge gekommen. Noch sieht man nur vereinzelte Vorposten, die wie kleine, braune Punkte am zerrissenen Grat kleben. Allmählich werden es mehr und mehr. Die Heliographen blitzen lange Strahlenbündel hierhin und dorthin. Patrouillen kommen zurück und melden den Anmarsch starker Infanteriemassen auf der gesperrten Straße. Die

kleinen Punkte dort drüben verschwinden — tauchen in der
Flanke wieder auf — scheinen bald auf diesem, bald auf jenem
Massiv den günstigsten Weg zu suchen. Will der Feind das Tal
umgehen? Doch nein — jetzt werden lange Züge russischen
Fußvolkes sichtbar, die sich im Sturmlauf den ersten Verhauen
nähern. Nun sind sie auf dem Minenfeld. Aber kein Befehl
zur Sprengung ertönt. Ihre starken Klappscheren beißen sich
in den harten Draht. Da pfeift die erste Salve in sie hinein.
Infanteriefeuer. Von allen Seiten zischen die kleinen Geschosse
gegen den mühsam sich vorarbeitenden Feind — schrillen im
Draht, zerklingen am Stein — fahren in hastendes pulsendes
Leben. Viele sinken hin, die blutenden Hände von den Stacheln
zerfleischt, noch im letzten Moment gegen die Todessaat kehrend.
Die Haufen wölben sich — wer einmal in dies Labyrinth
eingedrungen ist, für den gibt es kein Zurück — ohnmächtig
fällt er dem Schicksal anheim. —

Die kleine Kolonne ist fast aufgerieben. Der Feind treibt
neue Truppen vor. Nun greifen die Maschinengewehre ein.
Von oben, von unten — aus der Tiefe — von den Höhen. —
Wenige Minuten nur schnarrt das Uhrwerk — dann flutet ein
spärlicher Haufe zurück in die schützenden Wälder.

So vergeht der Tag. Die Russen wagen keinen neuen An=
griff. Die türkischen Befestigungen haben nur wenig gelitten.
In der Nacht werden die zerschnittenen Drahthindernisse durch
schnell gezimmerte spanische Reiter ersetzt. An den Berg=
rändern aber ziehen kleine helle Sternchen, höher immer
höher, bis sie plötzlich erlöschen. Es sind die Wachen, die
gegen den nahenden Feind vorgeschoben werden.

Auf der breiten Militärstraße, die von der russischen Festung
Kars nach Sarykamysch führt, donnern die Feldhaubitzen durch

die nächtliche Stille. Fluchen und Scheltworte werden laut.
Die Offiziere treiben zur Eile — die Kanoniere schlagen wie
wild auf die Zugpferde, so daß sie hoch aufbäumen und in langen
Sprüngen gehetzt, über das harte Pflaster springen. Kosaken
galoppieren vorbei. Munitionswagen rattern. — Noch vorm
steigenden Licht gilt es die Geschütze in Stellung zu bringen.
Der russische Oberbefehlshaber hat nicht mit dem starken Wider-
stande der Türken gerechnet — jetzt heißt es die Befestigungen
niederkämpfen, oder das Ausfallstor für immer verloren geben.

Als die Sonne über die Bergrücken kriecht, fallen ihre Strahlen
auf die ersten braunen Lafetten, die man dort oben ins Gestein
wühlt. Die türkischen Patrouillen haben leichten Dienst, der
Feind arbeitet ganz offen, er ahnt wohl nicht, daß über der
Talsperre schwere Stücke stehen, die ohne viel Mühe das Werk
da drüben stören, wenn nicht vernichten könnten. Der Tag vergeht — die Russen greifen nicht an, und wieder kommt der
Abend und die kalte Nacht.

Auf der Strecke nach Sarykamysch poltern unaufhörlich die
langen Eisenbahnzüge. Deutlich hören es die Wachen durch
den schweigenden Bergwald. Von Tiflis, von Alexandropol,
von Eriwan zieht der Feind seine Streitkräfte zusammen.
Ein gut ausgebauter Stahlweg gibt ihm alle Möglichkeiten
einer schnellen und nachdrücklichen Truppenkonzentration.
Den Türken dagegen stehen nur die Landstraßen zur Verfügung,
die zwar in Eile mit außerordentlichem Geschick ausgebaut,
dennoch nicht die Hälfte der Leistungsfähigkeit eines strategisch
günstig liegenden Schienennetzes aufzuwiegen vermögen.

Mit den ersten Purpurstrahlen, die sich rosig über Hänge und
Halden schieben, ziehen die dumpfen Orgeltöne der Geschütze

über das schlafende Tal. — Ein Hagel von Geschossen fährt
über die tiefe Mulde, bohrt sich ein in die Drahthindernisse,
schlägt in die Brustwehren, zerspritzt am Fels, gräbt manns-
hohe Trichter ins grasbewachsene Unterland. Und in der Luft
tanzen die balligen weißen Wölkchen, als wollten sie sich haschen
— immer mehr — immer mehr. Wenn eine verweht, stehen
gleich vier, fünf neue an ihrer Stelle. Krach auf Krach. — Eine
Eisenflut geht nieder. Zuweilen dröhnt ein schwerer, ohrenbetäubender Einzelschlag durch das chaotische Getöse — dann
saust es und pfeift es und greint es in den Lüften, als ob
der leibhaftige Satan unterwegs wäre. Unwillkürlich ducken
sich die Köpfe, beugen sich die Rücken der tapferen Verteidiger
— bis ein heller, lauter Knall das Zerspringen des Geschosses
kündet.

Jetzt greift auch die türkische Artillerie in den Kampf ein.
Mit Schrapnells sucht sie die gegenüberliegende Höhe ab —
eins nach dem andern, Schuß auf Schuß — aber jedes muß ein
Treffer sein. Hier oben ist die Munition mehr als kostbar. In
langer Linie klettern die Träger hinauf, die Maultiere heften
sich an die Steilwand des gerade meterbreiten Saumpfades.
Wie bei einer unendlichen Kette greift Glied in Glied — so
schafft man die nötige Geschoßfracht auf die entlegensten
Gipfelfesten. —

Minutenlang stockt das Brüllen der russischen Feuerschlünde —
dann bricht es von neuem los — so furchtbar, so nervenzer-
rüttend, so überwältigend ist der Donner in diesem Talkessel,
dessen Wände ihn unauʾhörlich in tosenden Wellen zurückbranden,
daß man die Wolkenwände über sich zerspringen wähnt. Das
Trommelfell vermag schon keinen Einzellaut mehr zu fassen —
ein Brummen und Summen, unendliche Schwere fällt auf das

gequälte Gehör und stößt in die gemarterten Hirne. Und immer
wieder Zuck auf Zuck, Blitz auf Blitz. Lange Feuerstrahlen
schießen durch den lagernden Rauch. — Granaten zerwühlen
das Erdreich der Gräben, Schrapnells platzen allüberall. Und
immer noch hält das Feuer mit gleicher Stärke an. Fünf Stunden dauert nun schon die wahnsinnige Kanonade. Die Gräben
gleichen zum Teil unermeßlichen Bodensenkungen, zum Teil
eingeebnetem Gelände, hinter dem kein Mensch mehr Schutz
findet. Nur gut zwei Drittel sind noch intakt. Die Drahtverhaue haben am stärksten gelitten. Tiefe Breschen gähnen
hier und da und zeigen den Weg gegen die anrückenden Sturmkolonnen. Die türkischen Batterien haben eine ungünstige
Stellung. Sie vermögen das feindliche Feuer nicht wirkungs-
voll genug zu erwidern. Ab und zu schweigt wohl eins der
gegenüberliegenden Geschütze — aber gleich sind drei, vier andere
an seiner Stelle. Die Russen müssen eine gewaltige Übermacht
haben.

Sorgenvoll blickt der türkische Kommandant über das verwüstete Gelände. Wird er mit den wenigen, die ihm hier zur
Verfügung stehen, die wichtige Sperre halten können? An
Verstärkungen ist nicht zu denken — ehe sie heran wären —
er wagt den Gedanken nicht zu Ende zu spinnen. Nur die Alarm-
truppen stehen noch in Bereitschaft, sie gilt es bis zuletzt auf-
zusparen.

Gelbe Fahnen winken hinüber zur Artillerie „Feuer einstellen!" gelbe Fahnen antworten — „Verstanden!". Man
muß das wenige Material bis zum Äußersten lassen. Seltsam
— fast im gleichen Augenblick schweigt auch drüben der Höllen-
schlund. — —

Pfeifen gellen durchs Tal, so schrill so schreiend, als klagten

sie die Not, die furchtbare Not der klopfenden Herzen. Kommandorufe verschlagen. Die Erwartung ist bis aufs höchste gestiegen. Alle Ferngläser richten sich auf die eine, die gleiche Stelle, aus der der Feind hervorbrechen muß. — Und nun — ein Brüllen — ein Blöken — ein Gurgeln — Wutschreie — Notschreie — Rachegeheul aus tausend und abertausend Kehlen. — Der Sturm bricht los. —

Pechige Wolken stieben zum Himmel — furchtbares Getöse erschüttert die wankende Erde. — Die Minen sind aufgeflogen. Sind das noch menschliche Laute, die aus dem Chaos emporklingen? Lacht das Inferno? Das schwere Geschütz auf den Höhen stößt und stampft und wirft seine Eisenflut hinab auf die zuckenden, ringenden, hastenden Menschenleiber. — Die gelben Tellermützen drängen zurück. Klatschende Kosakenpeitschen treiben sie aufs neue vor. Ihre Zahl scheint ins unendliche zu wachsen. Plötzlich sind sie in den Verhauen. Die Geschosse haben gut vorgearbeitet. Die Hindernisse bieten den Verteidigern keinen Schutz mehr. Wohl fegt das Feuer in die auf kleinem Raum zusammengepferchten Massen. — Doch was nützt sein Toben — Hekatomben fallen und Hekatomben stehen wieder auf. „Sieg! — Sieg!" — Schon schreien es ein paar Stimmen durch die zitternde Luft — weiter und weiter wälzt sich der Menschenstrom. — Das Artilleriefeuer ist verstummt, nur die Infanterie schießt noch in Salven, und die Maschinengewehre mähen aus ihren versteckten Stellungen. Näher und näher strudelt die braune Masse der Angreifer.

Die Türken sind auf die Brustwehren gesprungen und empfangen den Feind mit Handgranaten — grimme Wut in den glasigen Augen, verzerrte Gesichter. — Die Bajonette dringen ein. Körper an Körper — Stöhnen und Ächzen — Todesrufe

— verzweifeltes Ringen mit äußerster Kraft um Tod und Leben — Mann gegen Mann. Die Übermacht ist erdrückend. Die Anatolier kennen keine Furcht vor der blanken Waffe, sie lieben diese Kampfesart und sind in ihr Meister. Und doch drohen sie zu unterliegen. Stößt ein Häuflein durch und treibt den Feind vor sich her, so schließt sich gleich von den Seiten der Ring — und wehe denen, die nicht schnell genug zurückspringen — in wenigen Minuten sind sie umzingelt und vernichtet.

Über das halbe Tal wogt bereits die Russenflut, nur noch wenige Gräben sind im Besitz der Türken und auch sie müssen unhaltbar werden. Da entschließt sich der Kommandeur, die letzten Reserven einzusetzen. Wird es ihnen gelingen, den schwellenden Strom zu dämmen — bedeuten sie nicht ein nutz= loses Opfer? Einen Augenblick schwankt der Offizier — doch nur einen Augenblick. Die Talsperre muß gehalten werden — der General rechnet damit.

Trompetensignale rufen zum Angriff. Lang — lang ver= wehen die Töne über dem Todesfeld der Mulde. Der Feind stutzt. Die Neuner rücken an, das Lieblingskorps Envers. Es sind Elitetruppen. Mit fliegenden Bannern, die Regiments= kapelle an der Spitze, marschieren sie auf, wie zu fröhlichem Feste. Befehlsrufe tönen wider. Die Musik schwenkt ab.

Singender Klang begleitet die Tapferen in die Schlacht. Dem Orkan gleicht ihr Ansturm, der alles mit sich fortreißt. Die schwer bedrängten Anatolier fassen neuen Mut. „Vorwärts mit Allah!“ Und immer noch klingt von ferne der Siegesmarsch der Neuner. Es ist ein furchtbares Ringen. Der Feind hält sich in den mühsam gewonnenen Stellungen mit äußerster An= strengung. Um jeden Graben, um jeden Winkel Erde entspinnt sich ein erbitterter Kampf. Doch es geht. Mählich gewinnen die Türken Boden. Der Raum wächst und wächst — schon flattert der Halbmond wieder mitten im Tal.

Vergebens wirft der Russe immer neue Scharen in die bereits wankenden Massen. Vergebens überschüttet seine Artillerie wieder das Gelände mit ihrem Eisenhagel. Ein paar Schüsse, die zu kurz gehen und in den eigenen Reihen krepieren, vermehren nur die Verwirrung. Die halb und halb verlorenen Posten sind nicht mehr zu halten. Panikartig fliehen die braunen Kolonnen zurück — dem Ausgang der Schlucht entgegen. Von den Höhen aber senden ihnen die türkischen Batterien den Scheidegruß. Lange noch brummen die ehernen Münder, bis auch der letzte Russe verschwunden, und das Tal wieder frei von den Feinden Allahs ist.

Am nächsten Morgen suchen die Feldstecher umsonst nach den blinkenden Lafetten und den blitzenden Rohren oben am waldigen Felsgrat. Die Russen sind fort, mit Roß und Wagen. Nur ihre Toten und Wunden liegen noch auf dem weiten Feld und erinnern an den Kampf, der vor wenigen Stunden hier getobt hat. — Aber Tote und Wunde braucht das heilige Zarenreich nicht. — — —

Zwölftes Kapitel.

Hauptmann Rahmi ist wieder an der Front. Ein ehrgeiziger Generalstäbler drunten vom Goldenen Horn hat seine Stelle eingenommen. Ihm kann der Wechsel nur recht sein, ist er doch mit Leib und Seele stets Linienoffizier gewesen. Der Kommandeur hat ihn ins Aufstandsgebiet geschickt. „Ihre Aufgabe dort ist eine doppelte," hatte er gesagt, „Sie sollen nicht nur strafen, und wenn nötig, den Feind im Schach halten — uns liegt ebensosehr daran, das Land zu beruhigen. Noch ist das Armeniertum wie ein Pfahl im Fleische der Türkei. Die letzten Angriffe jener Volksgenossen, die einst gewohnt waren, als freie, selbständige Nation ein zwar kleines, aber eigenes Reich zu beherrschen, haben es uns deutlich gezeigt. Rußland, Frankreich, England im Bunde gegen die Türkei — der Wert dieser Übermacht wuchs riesengroß in den Augen der armenischen Bauern, die Stambul schon genommen, die Engen durch das Russenschwert geöffnet wähnten. Verhetzungen traten hinzu,

der langgehegte Groll gegen eine frühere, vielleicht weniger
gerechte Regierung, fiel in die Wage, und die Armenier erhoben
sich, um mit den Reichsfeinden gemeinschaftliche Sache zu
machen. Es war eine Unklugheit — gewiß — Treubruch sogar
lastet auf den Häuptern der Führer. Doch die Hohe Pforte
will sie nicht wahllos an Leib und Leben strafen — nur aus
dem Operationsgebiet sollen sie entfernt werden, und dort, wo
die Schuldigen getroffen werden, dürfen sie der gerechten
Strafe nicht entgehen. — Ich denke Sie haben mich verstanden,
Herr Hauptmann, — Ihr Patent ist unterwegs — ich habe Sie
zum Major eingegeben. Es wird Sie an Ihrem neuen Bestimmungsort erreichen. Bei Arisch steht Ihr Regiment. Ich wünsche
Ihnen guten Erfolg." Kräftig schlugen die Hände zusammen.

Eine Woche später war Rahmi am Wan-See. Wie sah es
hier aus! Rings in den weiten fruchtbaren Ebenen lagen die
Dörfer zerstört, die Felder zertreten, die Wälder verbrannt —
eine Totenstatt, so weit das Auge schaute. Die Kosaken, zusammen mit den verräterischen Armeniern, hatten furchtbar
gehaust. Muselmanen und Kurden waren ihnen zugleich zum
Opfer gefallen. Gesengt, geschändet, verwüstet, geplündert —
wer zählt die Schandtaten jener wilden Horden, die auch
auf Europas kulturdurchtränktem Boden ihr schmähliches Ge-
werbe ausüben durften. Wahrlich, die Romantik eines Taras
Bulba liegt nicht in der Blutgier seiner Nachkommen. Von
150000 Bekennern Allahs hatten sich kaum 30000 retten können.
Im Dorfe Assulat hatten die wilden Räuber alle Männer ge-
tötet. Sechshundert Frauen und Kinder trieben sie mit Kolben-
stößen und blitzender Waffe in ein gewaltiges leeres Haus.
Daraus suchten die rohen Gesellen die schönsten der Mädchen
zur Befriedigung ihrer Gelüste — die andern erstachen sie mit

den Bajonetten. Nur eine rauchende Ruine steht heute noch an der Stelle, wo so viele gelitten, wo so viele gekämpft und, in schrecklichster Qual, den martervollen Tod gefunden hatten.

Erst beim Anmarsch der türkischen Heere flohen die großen Massen der Mordbrenner zurück. Ein kleiner Teil widersetzte sich und saub zusammen mit den aufständischen Armeniern eine vollständige Niederlage. Die Bandenführer Tro und Hebscho entkamen mit genauer Not — ihre Heere aber verschlangen dieselben rauchenden Trümmerstätten, unter denen noch die Gebeine der von ihnen Ermordeten moderten.

In Arisch fand Rahmi sein neues Regiment, stramme Kerle aus der Gegend von Kastamuni am Schwarzen Meer, in deren Adern noch das alte, wilde Selbschuckenblut kreist. Von Abd Allah, dem jungen Arzt, war ein Brief eingelaufen, daß er im Gefecht von Sarykamysch leicht verwundet, bereits auf dem Wege der Besserung, wieder Dienst tue. Leider aber wollten sich die Russen nirgends zeigen, und er fürchte fast, daß vor dem Winter keine größere Aktion mehr zustande käme. Rahmi mußte lächeln, als er das Schreiben las. „Du hättest auch besser zum Offizier, denn zum Medizinmann gepaßt," sagte er unwillkürlich. Eine kurze Notiz in Hassan ben Sjadaks sein geschwungenen Zügen lag bei. Sie meldete den Heldentod Nouredbins. Da wollten seine Augen sich trüben, doch er drängte die Tränen mit Gewalt zurück. — Kriegerlos. ————

————————————————————

Im armenischen Hochlande herbstelt es früh. Die Bauern sagen, wir haben elf Monate Winter und dreißig schöne Tage. Das ist natürlich übertrieben, aber etwas Wahres liegt doch im Volksmunde. Über den armenischen Karst fährt eine rauhe Luft und nur selten, selbst im Sommer, übersteigen die Wärmegrade

das Klima der gemäßigten Zone. Rahmi war mit seinen Truppen vorgerückt und zog in langsamen Tagemärschen gegen die
Grenze. Sie sollten dort später die erste Linie besetzen und einen
Teil der bisherigen Grenzwacht, die aus älteren Jahrgängen
bestand, für den Etappendienst frei machen.

Das Werk, das es unterwegs zu verrichten gab, war nicht
immer nach seinem Geschmack. Die Armenier waren trotz der
schweren Strafen, die man ihnen auferlegt hatte, noch immer
nicht zur Ruhe gekommen. Hier und da überfielen sie die
Nachhut — Freischärler durchzogen das Land, saßen in Schlupf-
winkeln und Schluchten und feuerten auf die ahnungslosen
Marschkolonnen. Alte und Junge, Knaben und Männer, denen
schon das Weißhaar vom Haupte wehte, brachte man ein — und
sie alle traf das gleiche Schicksal. — Ein kurzes Verhör — sechs
Flintenläufe hoch gerissen — ein Wink und ein einziger pfeifender
Knall. — Der Verräter war gerichtet. Rahmi bedauerte im
stillen diese falsch geleitete Heerde, die doch nur der gleißende
Rubel in seinen Bann geschlagen hatte — aber er wußte auch was
Disziplin und Staatsklugheit verlangen und er handelte danach.

Als Rahmi kaum noch einen Tagemarsch vor Bajazid stand,
brachen die Russen über die Grenze. Ein Meldereiter brachte
die Nachricht. Da hieß es schnell handeln. In der Nacht noch
gingen die Truppen im Eilmarsch vor. Das schwere Gepäck
mußte einstweilen zurückbleiben. Hier kam alles darauf an, daß
man zur rechten Zeit eintraf. Den jungen Soldaten schlug das
Herz, es war ihr erstes Gefecht, an dem sie teilnehmen sollten.
Bei werdendem Morgen war man in Bajazid. Die ganze Nacht
durch hatte die feindliche Artillerie geschossen — manche Gräben
waren völlig zusammengetrommelt. Die ermüdeten Land-
stürmer begrüßten die frischen Reserven mit zuversichtlichem Mut.

Als die Nebel sich hoben, zogen die Russen in breiter Front heran. Die Russengeschütze verstummten. Die Türkenkanonen schlugen in dumpfer Lache. — Hahahahaha höhnte, blökte, stöhnte es durch den Morgen — Rattatarattata orgelten die Maschinen. Je näher die Russen kamen, desto weniger wurden es. Rotzuckende Dolche fuhren aus den Türkenstellungen und vernichteten das Leben. Eine, zwei Reihen sanken — neue kamen. Hahaha — Rattata, wie wenn das Tollhaus greint. Es wurde Mittag, und es wurde Abend. Die Kosakenpeitsche knallt — die letzten stürmen an. Die Drähte sind durchbrochen, noch einmal trommelt es von drüben — kurz — fürchterlich. Zähnefletschend, schäumend, bricht eine trunkene Soldateska vor. Nun sind sie ganz nahe. Das Höllenfeuer treibt sie zurück. Panikartig wenden sich die Massen.

Weshalb greift die türkische Artillerie nicht ein? Rahmi springt ans Feldtelephon, der alte Artillerist wird mächtig in ihm lebendig. „Tausend Meter Schrapnells!" Und die Batterie gehorcht — ihr Kommandant ist gefallen. Es faucht und heult durch die Luft und gräbt sich weit vor den Fliehenden in den erbigen Boden. — Ein Feuergürtel liegt vor ihnen. Der Rückweg ist abgeschnitten — keine Rettung. Da ergibt sich der Rest. —

＊　＊　＊

Der sinkende Abend taucht den Schneekopf des Arrarat in prächtge Tinten. Weit geht der Blick in der klaren Bergesluft. Durch die Sintflutebene ziehen die markigen Silhouetten starker Reitergeschwader. Es sind die Kosaken, die geschlagen, ins unermeßliche Zarenreich zurückkehren. — Das Symbol einer Macht und Kultur. — — —

Roßberg'sche Buchdruckerei, Leipzig.